Schuldgevoel

Van Coen Simon verscheen eveneens bij uitgeverij Ambo

Waarom we onszelf zoeken maar niet vinden
Zo begint iedere ziener
En toen wisten we alles
Wachten op geluk

Coen Simon

Schuldgevoel

Over de behoefte aan dingen
die we niet nodig hebben

Stichting Maand van de Filosofie

ISBN 978 90 477 0556 7

Dit essay werd uitgegeven in samenwerking met uitgeverij Ambo
Omslagontwerp Marry van Baar
Omslagillustratie © Marry Ellen Johnson,
Big Ice Cream, http://maryellenjohnson.net
Foto auteur Reyer Boxem

www.coensimon.nl
www.maandvandefilosofie.nl
www.amboanthos.nl

Voor Eva-Anne, Ella, Niklas en Toon

'There is no big lie. There is no system. The universe is indifferent.'

Don Draper, hoofd van de creatieve afdeling van het reclamebureau
Sterling Cooper in de tv-serie *Mad Men* (2007)

Inhoud

1

De schuld

Uit schaamte geboren

Op mijn dertiende verkocht ik, op de fiets op weg naar school, mijn walkman aan mijn twee jaar oudere broer. Ik reed met twee vrienden op kop van de groep waarmee we dagelijks naar de stad fietsten, mijn broer reed een paar fietsen daarachter.

De donkerblauwe Sony-walkman was mijn eerste bezit geweest dat ik van eigen spaargeld had gekocht. Toen ik afrekende op een zaterdagmiddag in de Kijkshop in Arnhem bleef mijn vader op gepaste afstand in een vitrine staren. In mijn herinnering was het het eerste elektrische apparaat waaraan bij thuiskomst, uit de doos, niets bleek te mankeren. Want op een of andere manier leverden nieuwe apparaten doorgaans eerst nieuwe teleurstellingen op, gewoon omdat er geen batterijen bij geleverd waren, of omdat ze stuk uit de doos kwamen en we een weekend later in Arnhem de kapotte aanwinst weer afstonden aan een klantenservice die het ding naar de fabrikant zou verzenden.

Maar de geur van de verpakking van plastic, karton en piepschuim, die de begeerte naar nieuwe dingen altijd nog meer aanjaagt, stelde dit keer niet teleur. Het was de begintijd van de walkman, dus het was een joekel van een ding. Er gingen vier batterijen in, er zat een zwarte schouderband aan, en ook nog een clip die je achter je broekriem kon schuiven. Ik gebruikte de bevestigingen allebei als ik ermee op mijn skateboard stond. Dat was wel zo'n beetje de belangrijkste functie van deze moderne techniek, dat je er tegelijk mee kon skateboarden. Heupwiegend met de mobiele cassetterecorder en ondertussen in één slaande handbeweging de cassette omdraaien – een handigheid die ik na middagen oefenen tot in de perfectie beheerste.

In de jaren die volgden onderging het design van de walkman een voor de hand liggende metamorfose, hij werd kleiner. Hoe beter het ding te verbergen was, hoe gewilder het werd. Deze trend was in zekere zin de vervolmaking van het eenvoudige idee dat aan de uitvinding ten grondslag lag: op elke plek en op ieder moment beschikken over je eigen muziek.

Toch bogen de ontwerpers zich natuurlijk niet alleen over de verfijning van de walkman als gebruiksvoorwerp. Integendeel, het ding werd zelfs meer en meer een sierstuk, dat nu weliswaar niet meer opzichtig werd gedragen maar nog altijd de moeite van het tonen waard was – zo haalde ik mijn walkman graag quasi terloops uit mijn schooltas tevoorschijn om hem naast mijn etui op tafel te leggen.

De gelijktijdige verfijning van functionele eigenschappen en de sierlijke, niet-functionele eigenschappen is een ontwikkeling die niet exclusief is voor de walkman. Het is de paradox van elk gebruiksvoorwerp. Als je erop let zie je in al onze spullen – van horloge tot blikopener – het samengaan van gemak en opsmuk, van nut en overbodigheid.

Hiermee wordt een dubbelzinnigheid van de menselijke natuur getoond die ook ieder economisch systeem in haar greep houdt: wij verlangen niet alleen maar handige dingen, dingen die ons ten dienste staan, we willen ook graag dat deze spullen er zijn alsof ze er altijd al waren. We lijken te willen vergeten dat onze tweede natuur een natuur van hulpstukken is, kunstmatig. En om dit te vergeten verfijnen we de dingen, van telefoons tot auto's, totdat ze eruitzien alsof ze net als appels van een boom geplukt zijn.

Nut en vormgeving voorzien allebei op eigen wijze in de menselijke behoefte aan een thuis, aan een wereld die compleet is. Het nut maakt een voorwerp tot het verlengstuk van ons lichaam, waarmee we ons door de wereld bewegen, en dat deze wereld bovendien ook verandert. Want 'het middel', schrijft Karl Marx in *Het Kapitaal*, 'maakt evenals het resultaat deel uit van de waarheid'. De vormgeving transformeert onze dingen daarnaast tot sierstukken. Dat lijkt een bijzaak. We zijn geneigd om sier af te doen als opsmuk en de behoefte aan sier te reduceren tot een vervelde zucht naar genot of vermaak. Maar de reden waarom het schone naast het goede en het ware als pijler wordt gezien van de menselijke conditie is niet omdat mooie dingen ons plezier verschaffen – hoewel dat een prettige bijkomstigheid is.

Om de wereld als een geheel te ervaren, moeten we haar voorstellen *alsof* ze een geheel is. Onze verbeelding is de hele dag door bezig om de betekenisloze chaos die de werkelijkheid van zichzelf is, te zien als een samenhangend geheel. Mooie dingen spelen daarbij een beslissende rol. Zij vormen de bouwstenen voor onze voorstelling van de wereld. Niet als decoratie, om de boel wat op te vrolijken. Nee, de dingen die de mens om zich heen verzamelt vormen het decor van zijn voorstelling. Zonder dit decor zou hij niet weten *waar* zijn voorstelling zich in godsnaam afspeelt.

Schoonheid is nooit de exclusieve eigenschap van een ding, maar een samenspel van de menselijke verbeelding aan de ene kant en het ding aan de andere kant. Hoe gemakkelijker de vormen van de dingen het onze verbeelding maken om het ding te zien alsof het niet anders had kunnen zijn, hoe mooier we het ding vinden. En op hun beurt brengen deze mooie dingen de verbeelding weer tot de neiging om ook andere dingen en ten slotte de hele wereld te laten verschijnen alsof deze zo moesten zijn. Dat is ook de aantrekkingskracht van muziek op een koptelefoon, die stelt me in staat om de wereld buiten mij en de veelheid van mijn gevoelens toch als een eenheid te laten verschijnen – op dezelfde manier als filmmuziek in staat is van een neutrale handdruk een historisch moment te maken.

Kortom, dingen die als mooie dingen verschijnen zijn evenveel een luxe als een existentiële noodzaak. We zouden het bestaan niet eens opmerken zonder deze dingen. Ons bestaan is namelijk niet als een nieuw huis, dat leeg ook al aanwezig is en dat we naar believen inrichten met mooie spullen. Het menselijk bestaan is een product van onze verbeelding. Waarmee ik niet bedoel dat het bestaan een verzinsel is, maar dat we het nooit van buitenaf kunnen waarnemen. Omdat we nooit van het bestaan zelf kunnen zeggen, zoals we dat wel van ons huis kunnen, híér is het. En dus is onze verbeelding voortdurend in de weer om het bestaan als een of andere 'objectieve' voorstelling te laten verschijnen.

Vergelijk het met de geest van het spel. De geest van een potje voetbal kan evengoed niet worden gevat door te wijzen op de bal, de spelers, of het veld. Het zijn de relaties tussen al deze afzonderlijke onderdelen waarin het spel zijn werkelijkheid heeft – alleen tijdens het spelen bestaat de voorstelling ervan.

Onze afkeer van lelijkheid is veel meer een afkeer van het incomplete dan een gefrustreerd verlangen naar bekoring. En deze sterke behoefte aan een geheel verklaart het gewicht dat we toekennen aan een mooi landschap en het chagrijn over 'horizonvervuiling', maar ze verklaart ook de veel banalere neiging tot de aankoop van weer een paar nieuwe schoenen ook al heb je er al een kast vol van. De onweerstaanbaarheid van veel koopwaar ligt in de belofte van een nieuwe werkelijkheid. Een belofte die daadwerkelijk bij elke nieuwe aankoop voor een moment wordt ingelost, aangezien een enkel exemplaar van het schone voldoende kan zijn om de verbeelding te prikkelen tot een in elk geval kortstondige nieuwe voorstelling van het bestaan.

Wie geen oog heeft voor deze onberekenbare kant van onze middelen zal het menselijk huishouden altijd als een inefficiënt rommeltje blijven zien en niet begrijpen waar toch de behoefte vandaan komt aan dingen die we niet nodig hebben.

Toch is de rationaliserende blik jammer genoeg wel het heersende perspectief op ons huishouden geworden: economie als een objectief systeem dat tot ver achter de komma is door te rekenen. Maar de economische realiteit is evenmin als het bestaan zelf te beschouwen vanuit een absoluut objectief standpunt. Ook van de economie kunnen we niet zeggen: 'Kijk, hier is-tie!' Als we ons het bestaan willen voorstellen doen we een beroep op de verbeeldingskracht en niet op het verstand. En dat zou ook moeten gelden bij een juiste voorstelling van de economie. Maar met alle cijfers en statistieken van CPB, CBS, IMF, AEX tot en met de weersverwachtingen van het KNMI verkeren we in het fantasma dat we de economie van buitenaf kunnen aanschouwen en beheersen.

'Economie' lijkt vandaag de dag vooral het synoniem geworden van winstmaximalisatie – voor vriend en vijand. Want met 'alles draait om de economie' constateert een tevreden mens dat iedereen nu eenmaal winst wil maken, en een ontevreden mens doelt ermee op de egoïstische zelfverrijking van de bestuurders en machthebbers. In deze opvatting zijn economie en geld synoniem geworden. 'Alles draait om geld' en 'alles draait om de economie' worden op bedrieglijke wijze door elkaar gebruikt.

Voor deze smalle opvatting van economie wil ik een ander beeld van ons menselijk huishouden in de plaats stellen. Een beeld dat economie niet presenteert als een rationeel middel dat eenduidige doelen najaagt. Economie is niet eenvoudigweg een instrument dat wordt ingezet om de verdeling van schaarste zo gunstig mogelijk af te stemmen op onze verlangens, maar juist een spel met deze verlangens. De reden hiervoor is de aard van het menselijk verlangen.

We stellen deze het liefst voor als de wens op een verlanglijstje. Maar ons verlangen is geen welomschreven wens: we verlangen al voordat we weten wat we verlangen. Dus voor we een wensenlijstje kunnen samenstellen moet er eerst iets met onze ongrijpbare en onuitputtelijke hartstochten gebeuren. De economie voorgesteld als een middel om een zeker doel te bereiken weet zich geen raad met deze kant van de menselijke wil.

Economie is in mijn eigen ogen nooit alleen de praktijk die naar behoefte verdeelt, maar ook altijd het spel dat van onze verlangens behoeften maakt. Een spel waarvan de winst het spel zelf is en niet de opbrengst minus de kosten. Een praktijk die onze diffuse verlangens richting geeft en omzet in een zingevend geheel. En deze praktijk speelt zich af binnen alle sferen van het dagelijks leven, van het microniveau van de liefde, de gift en de mode tot het macroniveau van het grote geld.

Maar laten we klein beginnen. Ik was dus dertien en de walkman werd kleiner, compacter, ronder, gladder en lichter, en kreeg bovendien een zogenaamd autoreversesysteem, zodat je de cassettespeler ook niet meer uit je binnenzak hoefde te halen om het bandje om te draaien. Ik ging dolgraag met deze mode mee, maar ik had behalve zakgeld nog geen inkomen.

Het was dan ook evenveel een wanhoopspoging als een grap toen ik me halverwege de Hallsedijk omdraaide op mijn fiets en riep dat ik een walkman in de aanbieding had. Er werden wat grappen teruggeroepen totdat de stem van mijn broer klonk: 'Wat wil je ervoor hebben?'

Ik wierp een blik over mijn schouder en wist nog niet zeker of hij het meende, maar voor de zekerheid zette ik hoog in. Het bieden begon. De anderen zwegen terwijl wij het afdingen naspeelden dat we van onze ouders hadden afgekeken, op de markt en bij 'venduties' – zoals mijn moeder antiekveilingen noemde. Ik wist nog altijd niet helemaal zeker of mijn broer het meende, toen de onderhandeling bij zeventig gulden stokte. Hier werd het spel blijkbaar ernstig. Ik acteerde verontwaardiging en keerde me zo laconiek mogelijk weer naar de vrienden naast me. Mijn broer bleef stil.

Ik voelde spijt. Ik had er honderd gulden voor willen hebben omdat ik wist dat ik anders nog weken moest sparen voor de nieuwe Sony, maar door deze gretigheid had ik nu helemaal niks. Zomaar zeventig gulden door mijn vingers laten glippen. We verlieten de Hallsedijk. Iedereen praatte alweer door elkaar. Ik dacht net dat het moment van handel definitief voorbij was toen ik opnieuw mijn broer achter me hoorde. 'Negentig, laatste bod.' Het was een grote sprong ineens. En door de onverwachte herziening van het lot besloot ik niet te dralen. Ik kneep in mijn rem en liet me langszij zakken. 'Verkocht,' zei ik met uitgestoken hand. Hij klapte erop.

Negentig gulden was meer dan de helft van de prijs die ik er drie jaar eerder voor had betaald. Ik had nog niet veel benul van inflatie, waardevermindering, prijselasticiteit of welk begrip dan ook uit de markteconomie, maar ik voelde wel dat dit een goeie deal was. En dat merkte ik ook aan de opgewonden reacties van de anderen in de groep.

Toch was mijn euforie over de succesvolle onderhandeling, het snelle geld en het vooruitzicht van de nieuwe walkman van korte duur. Voor we de stad hadden bereikt knaagde er aan mijn geluk een steeds sterker wordend schuldgevoel.

Ook al hadden we volgens mij eerlijk en in het openbaar gehandeld, en verkocht ik mijn broer geen troep, niet eerder had er tussen hem en mij een financiële transactie gestaan. Tot dan toe hadden we alleen dingen geruild en gedeeld, maar nooit had ik geld verdiend aan goederen die voor mijn gevoel ook een beetje van de familie waren. Daar kwam nog bij dat ik de walkman niet had verdiend, maar gespaard met het zakgeld dat ik zomaar iedere maandag kreeg van mijn ouders. Voor mijn gevoel verdiende ik nu dus geld met geld van een ander.

Maar het stak vooral dat ik mijn eigen broer iets had verkocht, en het idee dat ik een te hoge prijs vroeg maakte het allemaal nog veel zondiger. Ik durfde de koop niet meer terug te draaien. Dat had misschien gekund als dit alles in huiselijke kring had plaatsgevonden, en niet op de fiets naar school. Als ik eraan terugdenk komt de gebeurtenis me wat onbenullig voor, maar ik herinner me nog goed dat ik toen het gevoel had dat ik iets voor altijd had verpest. Alsof we tot dan toe in een harmonieuze onschuld hadden geleefd, die door een stom spelletje te spelen ineens voorgoed voorbij was.

Terwijl de twee vrienden naast me nog de hele weg naar school, gedraaid op hun zadel, flauwe aanbiedingen riepen ('De hele inhoud van mijn broodbak, vijftig piek! Wie o wie!'), drukte ik mijn broer op het hart dat de walkman destijds als beste getest was door de Consumentenbond. Het was bedoeld als hart onder de riem, maar het kwam eruit als een slecht excuus.

Mijn broer, uiterlijk meestal onbewogen, leek nu toch wel wat onzeker te worden over de koop. Hij verbond ternauwernood nog enkele nieuwe voorwaarden aan de koop: voor die negentig gulden moest hij wel echt alles krijgen, inclusief de doos die ik nog altijd had, de gebruiksaanwijzing en de testcassette. Aan die cassette was ik gehecht, want ik bezat nog niet veel muziek, én er stonden twee nummers op die zo waren gemixt dat het leek alsof de muziek echt dwars door je hoofd van je ene oor naar het andere stroomde. Maar hoe mooi ook, dit wilde ik er best voor opgeven. Alles om van mijn schuldgevoel af te komen.

Rond iedere koop hangt een sfeer van schuld. Zowel aan de kant van de koper als van de verkoper. Niet zelden praten mensen een koop goed, bijvoorbeeld door de uitzonderlijk goede prijs die ze ervoor betaalden aan iedereen mee te delen ('Moet je zien, voor de helft van de helft... als je dat laat liggen ben je een dief van je eigen portemonnee'), of door een hoge prijs juist als het bewijs voor kwaliteit te nemen ('goedkoop is duurkoop'), dan wel door te benadrukken dat ze het *echt* nodig hadden, omdat die oude aan vernieuwing toe was ('Dat kon écht niet meer'). En voor de verkoper geldt dat hij er natuurlijk heel graag heel veel geld aan verdient en dat de prijs is 'wat de gek ervoor geeft', maar hij wil de winst wel ook echt *verdienen*, dat wil zeggen, moreel. Want hij heeft wel een 'eerlijke handel' natuurlijk.

Waarom toch is handel overladen met schuldgevoelens? Je zou zeggen dat de financiële transactie zelf bedoeld is om met schuld af te rekenen. Welke schuld proberen we dan nog buiten het handelsverkeer om te verantwoorden?

Strikt genomen is handel de overdracht van bezit. Dat deze bezitsoverdracht bij ruilhandel belast is met gevoelens van spijt, schuld en schaamte is niet zo gek gezien het feit dat ruilen per definitie alleen kan worden voltrokken tussen twee verschillende goederen of diensten. Ruilen is altijd een opgave. Je bent iets helemaal kwijt, een ding of de tijd die je niet meer anders kunt besteden. Kinderen beseffen dat doorgaans te laat. En dan komt van ruilen huilen.

Maar het overdragen van bezit in een monetair systeem lijkt de opgave die we doen bij een ruil in zekere zin te compenseren. De gebruikswaarde van een bezit wordt vervangen door een vergelijkbare potentiële waarde, uitgedrukt in een symbool, geld dus.

Iedereen weet dat deze uitwisseling van reële en potentiële waarde een hachelijk spel is, omdat het lastig is vast te stellen of de symbolische waarde de werkelijke waarde dekt. Wat een bezit voor alleen mij persoonlijk betekent is al lastig te kwantificeren, laat staan dat we deze waardering ook nog zouden moeten vergelijken met de waarderingen van ieder ander. En hoe de wereld van *waarden* volgens geldfilosoof Georg Simmel als een parallel universum boven onze wereld van *waren* zweeft, daar kom ik verderop in dit boek nog op, maar voor nu is het van belang op te merken dat we er toch stilzwijgend van uitgaan dat het tenminste in theorie mogelijk moet zijn om de symbolische en reële waarde zo te laten samenvallen dat ze tegen elkaar kunnen worden weggestreept. Een misleidend idee. Tijd is geld, maar geld is geen tijd natuurlijk.

Geld weet de werkelijkheid zo overzichtelijk in cijfers uit te drukken dat we haast vergeten dat onze handelingen onomkeerbaar zijn. En dat wat we eenmaal van de hand deden, niet langer deel van ons is. Of je het nu weggeeft, ruilt, tegen een eerlijke prijs of met woekerwinst verkoopt, in alle gevallen ben je het unieke bezit kwijt. Er gaat bij iedere handel altijd iets verloren, zelfs als we er financieel niet slechter van worden.

Zo kreeg ik van onze garage bij de aanschaf van een occasion eens een fikse inruilkorting voor ons afgekeurde Peugeootje. Toen we een paar dagen later op weg naar zwemles de garage passeerden remde ik even en wees mijn dochter op onze oude 106 die achter twee vreemde auto's in een hoekje stond geparkeerd. 'Zwaai nog maar even,' zei ik voor de grap. Maar in mijn binnenspiegel zag ik de tranen in haar ogen springen. Toen ik uitlegde dat het niet anders kon, omdat de auto van de politie niet meer de weg op mocht, merkte ik aan het klemmende gevoel op mijn adamsappel dat ook ik wist dat de tijd die we in deze auto hadden doorgebracht voorgoed verdwenen was. Met het verdwijnen van dit sympathieke groene autootje verdween niet een ding, maar een hele wereld.

De tranen van mijn dochter symboliseren het verlies dat met iedere koop gepaard gaat. Een verlies dat eigen is aan bezit. Want wat houdt het eigenlijk in iets te bezitten? Ik had me dat denk ik pas voor het eerst afgevraagd toen ik de koop van mijn walkman net had gesloten. De koop waaraan ik, zoals gezegd, voor mijn gevoel, onverdiend verdiende. Dat lijkt een woordenkwestie, maar aan het ongemak moet ik gevoeld hebben dat de morele en economische betekenissen van de term 'verdienen' elkaar ergens overlappen.

Al overheersten mijn schuldgevoelens, hoe ik ook piekerde, ik kon niet bedenken wat ik fout had gedaan, waar ik schuld aan had. Ik schaamde me ervoor dat ik mijn broer en mij in deze situatie had gebracht, maar ik zag ook geen reden waarom ik het de volgende keer niet weer zou doen, tenzij het was om me niet meer te hoeven schamen.

Wat ik toen nog niet bedacht, was dat voor alles wat we verdienen geldt dat we het nooit alleen maar aan onszelf te danken hebben. Terwijl ik zocht naar een eigen tekortkoming die mijn schaamte voor deze aankoop kon verklaren, wees de schaamte die ik voelde op een tekort van een andere orde, een tekort dat geen mens kan compenseren: de verlegenheid over de vraag wat ons toekomt en wat niet, de vraag in hoeverre we ons bezit verdienen, wanneer de wereld van ons is en wanneer wij van haar zijn.

Niemand beschikt ondubbelzinnig over zijn kapitaal – over zijn geld noch over zijn bezit, over zijn lichaam noch over zijn geest. Wat we *hebben*, verdienen we natuurlijk niet zonder meer. Zelfs dat wat we volkomen eigenhandig bij elkaar hebben verdiend hebben we nog altijd te danken aan de juiste omstandigheden en de talenten die we meekregen bij onze geboorte.

Door de nadruk die er in onze tijd wordt gelegd op eigen verantwoordelijkheid, autonomie en authenticiteit dreigen we te vergeten dat we uiteindelijk natuurlijk niet onze eigen schepper kunnen zijn. En dat we voordat we überhaupt iets kunnen verdienen, al iets moeten *hebben*, een bezit waarvan we niet kunnen zeggen dat we het ook verdienen te bezitten. Kortom, vóór iedere verdienste, of deze nu van morele of van financiële aard is, is ons al van alles toegekomen – zomaar uit het niets.

Dat lijkt een triviale vaststelling, maar feitelijk is dit 'niets' bepalend voor al onze morele uitspraken en voor al onze waarheidsclaims. Want wie niet weet wat hem toekomt weet nooit definitief waarvoor hij verantwoordelijk is, en wie niet weet waar de wereld begint en hijzelf ophoudt (dat wil zeggen wat hem eigen is en wat niet), die kan nooit met zekerheid vaststellen of zijn waarheid dezelfde is als de waarheid waarin de rest van de wereld leeft.

Het ontbreken van een beginpunt is cruciaal voor het denken en het doen van de mens. Het is een tekort dat we niet als een gepasseerd station achter ons kunnen laten, al is die neiging nog zo groot. Want het lijkt onzinnig om ergens bij stil te staan waarvan we met zekerheid kunnen vaststellen dat we er nooit iets over te weten komen, maar er is natuurlijk een groot verschil tussen iets niet weten omdat het je niet is verteld en iets niet weten omdat de logica dat niet toestaat. 'Wat was er voordat er iets was?' is een vraag die we niet kunnen beantwoorden, maar die we ook niet naast ons neer kunnen leggen. Wat we niet kunnen weten zegt altijd iets over ons, over wat het betekent om mens te zijn.

En zo voelde ik op de fiets naar school, beschaamd na de verkoop van mijn oude walkman, wat het betekent om mens te zijn. Ik kon me schuldig voelen zonder te weten waaraan. Ik had verdiend, maar ik kon niet bepalen of ik dit zogezegd verdiende, of dit mij eerlijk toekwam. Vanwege mijn behoefte eerlijke handel te drijven werd ik er juist mee geconfronteerd dat voor juiste verdeling een grond nodig is die de mens ontbeert. Voor eerlijke handel zouden we boven onszelf moeten kunnen uitstijgen om objectief van alles de waarde te bepalen.

Volgens de Duitse filosoof Martin Heidegger (1889-1976) bestaat ons schuldgevoel dan ook niet pas doordat we ergens schuldig aan zijn of iemand iets verschuldigd zijn, maar zijn omgekeerd al onze schuldgevoelens 'in de eerste plaats mogelijk "op grond" van een oorspronkelijk schuldig-zijn'. Heidegger plaatst de aanhalingstekens omdat de grond waar hij op doelt juist het ontbreken van een fundament is – 'een niets', noemt hij het zelfs. En in dit grondeloze ziet hij de bron van ons schuldgevoel. De mens heeft zelf niet voor de grond onder zijn voeten gezorgd. Hij is niet de schepper van zichzelf. En daarom, schrijft Heidegger in *Sein und Zeit*, wijst de wereld ons voortdurend op een niet-kunnen. In elk bezit worden we gewezen op het oneigenlijke ervan – dat wat ons van nature niet eigen is. Aan ieder bezit ontglipt volledige zeggenschap.

Deze ongrijpbare kant van bezit voelen we ook in de onbeslisbare discussies over eigendom en auteursrecht, bijvoorbeeld in de vraag in hoeverre een chemische samenstelling mag worden gepatenteerd – denk aan een antistof tegen een virus. Ook in de kunst duikt de kwestie op: waar gaat citeren over in plagiëren en reproduceren in vervalsen? En ideeën, moeten die vrij toegankelijk zijn voor het algemeen belang of juist via het auteursrecht voor altijd onder het beheer van de bedenker vallen? Zelfs de vraag of de vrouw baas in eigen buik is kan alleen maar gesteld worden omdat de mens geen baas in eigen bestaan is. Bij iedere transactie nemen we het lot in eigen handen en verdelen bezit dat ons niet helemaal toekomt.

Op de lagere school kwam er een paar keer een klasgenootje bij mij spelen dat zonder te vragen aan alle spullen in mijn kamer zat. Het was de leeftijd dat je het nog moeilijk vindt om een cadeau te geven op een verjaarspartijtje omdat je het eigenlijk liever zelf zou houden. Het staat me allemaal niet heel helder meer voor de geest, maar volgens mij was het een onuitgesproken regel dat je tegen vriendjes kon zeggen waar ze wel en niet mee mochten spelen als ze bij je op bezoek waren – je allermooiste schatten konden dan onaangeroerd op hun plek blijven staan. Deze jongen trok zich daar helemaal niets van aan. Hij vroeg alleen 'waarom niet?' als ik van iets zei dat ik liever niet wilde dat we ermee zouden spelen, en bleef vervolgens extra lang prutsen met mijn gele Playmobilhelikopter, of zette de poppetjes ervan op plaatsen waar ze in mijn ogen niet thuishoorden. Toen ik op een dag bij hem ging spelen bleek dat al het speelgoed in hun speelkamer van hem en zijn twee broers gezamenlijk was. Ze moesten alles delen. Dat klinkt mooi, maar ze hadden de hele middag ruzie, en ook ik mocht nergens aan zitten.

Toen mijn eigen kinderen naar school gingen moest ik af en toe weer aan die jongetjes denken. Wat hadden die ouders in gedachten gehad, met dat alles delen? Het waren de jaren zeventig, dus er kan heel goed een ideaal achter hebben gezeten. Bij de kleuters op de school van mijn kinderen is het iedere vrijdag speelgoedochtend. Ze mogen dan iets van zichzelf meenemen om mee te spelen. Het is een leerzame ochtend. Hoe krijg je het voor elkaar om ook even met die onweerstaanbare auto van het jongetje te spelen dat je eigenlijk niet zo leuk vindt? Hoe sta je je eigen schatten af? Dit spel rond de kleine eigendommen vraagt het uiterste van onze sociale capaciteiten.

Maar ook nu nog kom ik weleens ouders tegen die vinden dat kinderen zonder meer alles moeten delen. Al lijkt deze opvatting meestal niet uit idealistische overwegingen voort te komen, maar eerder uit achteloosheid – want in het veelgebruikte opvoedmantra 'samen spelen, samen delen' klinkt vaak vooral de toon door van 'niet lullen, maar poetsen'. Of het nu uit idealisme dan wel uit onverschilligheid is, de gevolgen zijn dezelfde: wie niets *heeft*, kan niets delen. Wie alles moet delen wordt niet ruimhartiger, maar stuurloos. Geef kinderen vooral van alles voor henzelf en leer ze met de spullen van anderen omgaan zoals zij willen dat er met hun spullen wordt gespeeld. Eigendom dwingt tot beleefdheid en omgangsvormen. Als we kind zijn, veinzen we aardigheid om te krijgen wat we willen; het enige dat we later nog moeten leren is te vergeten dát we veinzen – pas als dat lukt hebben we het spel van fatsoen echt onder knie.

Dat we dit gedoe rond bezit een leven lang moeten blijven oefenen blijkt ook uit het gemak waarmee muziek, films en boeken zonder betaling, legaal of illegaal worden gedownload of op andere wijze digitaal verspreid, vaak onder de achteloze verontschuldiging 'dat deze ontwikkeling toch niet is tegen te houden, anno nu'. Net als in de jaren zeventig heb je vandaag de dag natuurlijk ook idealisten. En dan bedoel ik niet diegenen die zich onder de vlag van de moraal het nieuwe gemak niet willen laten afpakken en daarom het auteursrecht opzijschuiven met het argument dat cultuur gemeengoed is, maar ik denk aan de meer neomarxistische denkers zoals Michael Hardt en Antonio Negri die in *Commonwealth* (2009) beweren dat eigendomsclaims cultuur kapitaliseren en onteigenen wat ons allen toekomt. Ook de Nederlandse stichting Bits of Freedom maakt zich hard voor het vrij kunnen delen van digitale informatie en noemt dat zelfs een grondrecht. Op de vraag hoe de auteur, de creatieve bron van dit gemeengoed, aan zijn geld komt om in zijn bestaan te kunnen voorzien volgt dan steevast het antwoord dat er moet worden gezocht naar nieuwe verdienmodellen. Bijna ongemerkt wordt verdienen losgekoppeld van eigendom. Het is een ontwikkeling die mogelijk wordt gemaakt door het bestaan van geld, en waar ook Simmel in 1900 al voor waarschuwt: het abstracte geld heeft de neiging zich steeds onverschilliger te gedragen tegenover de concrete wereld.

Het gaat mij niet om de vraag hoe dit specifieke debat beslecht moet worden, maar meer om het punt dat het gesteggel rond bezit en eigendom, hoe we het ook verdelen of verrekenen, nooit die schuld oplost waarover Heidegger spreekt, het oneigenlijke deel van eigendom. Er blijft altijd een restschuld die het sociale verkeer niet zal verlaten en telkens moet worden verantwoord. Want wie samen speelt en samen deelt, deelt niet alleen bezit, maar ook schuld. Het ongemak en de schaamte hierover zouden we soms liever willen afkopen, maar daarmee nemen we volgens mij een van de belangrijkste bindende elementen weg: een gedeelde schuld.

'Economen, let op!' waarschuwt de Tsjechische macro-econoom Tomáš Sedláček (1977) als hij in *De economie van goed en kwaad* de passage uit Genesis bespreekt waar Adam en Eva zojuist aten van de boom van de kennis van goed en kwaad: 'Het vijgenblad waarmee zij hun intiemste lichaamsdelen bedekten, werd het allereerste externe voorwerp dat de mens ooit bezat.' En de eerste *transactie*, voegt hij er meteen aan toe, geschiedde niet veel later: 'Wanneer God hun een dierenvel *schenkt* waarmee zij zich kunnen kleden.' De zondeval moeten we volgens Sedláček dan ook niet opvatten als een morele les in de sfeer van de seksualiteit: 'Het lijkt er veel meer op, dat die allereerste zonde het karakter had van (overmatige) *consumptie*. Per slot van rekening consumeren Adam en Eva letterlijk (het woord "at" valt twee keer) fruit.' En bovendien, schrijft de macro-econoom, moeten we de rol van de slang niet vergeten, 'net zoals de reclame' wekt deze 'een verlangen op bij Eva, een verlangen dat zij daarvoor niet had, en een verlangen naar dingen die zij helemaal niet *nodig* had'.

Sinds Adam en Eva heeft de mens al behoefte aan dingen die hij niet nodig heeft. In het paradijs was nergens *behoefte* aan, en zelfs dan kan een mens, of beter *wil* een mens nog altijd begeren. Behoeftebevrediging sluit begeerte nooit uit. Een boodschap die voor Sedláček opvatting van de economie van groot belang is: 'De economie pretendeert een wetenschap te zijn waarin groot belang wordt gehecht aan rationaliteit – maar achter de schermen gaan verbazingwekkend veel onverklaarde factoren schuil, en in iedere stroming in het economisch denken brandt een religieus en emotioneel vuur.'

De tuin van Eden als eerste economische les. De mens kan niet zonder handel, niet zonder bezit en niet zonder dingen die hij niet nodig heeft. Maar, meent Sedláček blijkbaar ook, de zondeval moet ons waarschuwen voor overconsumptie: consumeer, maar consumeer met mate. 'Onze plaats, als mens, is ergens in het midden. Wij kunnen niet de gevangene worden van de rationele, verklaarbare homo economicus, en evenmin kunnen wij ons overgeven aan ons dierlijk instinct.'

We vergeten vaak dat mythes en bijbelverhalen verhalen zijn die nergens concrete leefregels meegeven. Ze hebben zo vaak als illustratie bij de mores gediend dat we de verhalen zelf als geboden en verboden zijn gaan lezen. Maar de leefregels die de tradities eruit destilleerden zeggen natuurlijk meer over de tijden waarin deze regels werden geconcipieerd dan over de betekenissen die in de verhalen verscholen liggen. Sedláčeks lezing van de zondeval als parabel van de economie intrigeert, maar ook Sedláček begaat de veelgemaakte vergissing het paradijs van vóór de zondeval voor te stellen als een harmonische en ideale wereld – misschien praktisch niet gauw haalbaar, wel ideaal. Lezen we aandachtiger dan lijkt het verhaal van de zondeval de tuin van Eden niet voor te stellen als ideale wereld, maar als symbool voor de wereld zoals we die niet *kunnen* kennen. Het symbool voor het beginpunt dat zich altijd aan de menselijke kennis onttrekt. Roof- en prooidieren leven er naast elkaar, wat moet ik me daarbij voorstellen? Wat is een roofdier dat niet rooft en een prooidier waar niet op gejaagd wordt? De tuin van Eden is geen harmonieuze plek, maar een voorstelling van het onvoorstelbare: een strijdloos, tijdloos, ongevormd universum. De slang is daarvan het duidelijkste symbool. Pas als straf voor zijn verleiding krijgt deze een gestalte: 'Op je buik zul je kruipen en stof zul je eten.' Hoe moet die slang er in de paradijselijke toestand hebben uitgezien? Daarvan kunnen we ons dus geen voorstelling maken.

De zondeval voltrekt zich op het moment dat Eva niet kan bedenken waarom de slang eigenlijk zou liegen over de vrije toegankelijkheid tot het fruit van de boom van de kennis van goed en kwaad. En inderdaad, hoe kunnen we het haar kwalijk nemen: als je nog niet van de boom van de kennis van goed en kwaad hebt gegeten, hoe moet je dan in godsnaam weten wat wel en niet mag? Waarom wel eten van alle andere bomen 'met heerlijke vruchten', maar niet van die ene boom?

Niet consumptie, zoals Sedláček meent, zelfs niet overmatige consumptie veroorzaakt de zondeval, maar bezit is de oorzaak van deze oorspronkelijke schuld. Het toe-eigenen van de wereld, het verdelen van bezit dat niet van ons is. Want (economen, let op!) niet het vijgenblad, maar de appel was het eerste dat de mens bezat. De zondeval moeten we niet zien als een gebeurtenis, maar als de onherroepelijke morele sfeer waarin de mens leeft. We zijn genoodzaakt bezit te nemen van iets en het te verdelen, zonder dat we objectief kunnen beslissen of we het verdienen.

Heidegger omschrijft de relatie die de mens met zijn wereld heeft als ware hij erin geworpen. 'Deze geworpenheid,' schrijft hij in *Sein und Zeit*, 'ligt niet achter mij als een daadwerkelijk voorgevallen gebeurtenis die zich onafhankelijk van mijn bestaan voltrok.' Heidegger bedoelt dat we de wereld altijd in een al voor ons bestaande toestand aantreffen, zonder dat we ooit een panoramisch overzicht op die wereld krijgen. We zitten er middenin en leren de wereld nooit beter kennen dan als een blinde die om zich heen moet tasten. De zondeval is geen gebeurtenis uit het vroegste verleden, het is helemaal geen gebeurtenis, het is de wijze waarop de mens bestaat.

Zonder dat de mens ooit zicht krijgt op 'het bezit' waarin hij geworpen is, is hij gedwongen ermee te handelen, het te verdelen en te investeren. En wat we er niet mee doen laten we zodoende verloren gaan. Daarin schuilt het verlies van iedere transactie. We zeggen niet voor niets 'zonde' als we iets van waarde moeten weggooien. We verdelen, zonder de blik van God te hebben. We oordelen over goed en kwaad zonder het alziend oog.

Dat 'verdienen' net als 'behoefte', 'waarde', 'prijs' en 'schuld' in de economie (de wetenschap van de verdeling van de schaarse middelen) iets heel anders betekent dan in de ethiek (de wetenschap van de verdeling van goed en kwaad), is niet te wijten aan begripsverwarring, maar aan het ontbreken van een absoluut vertrekpunt voor het menselijk handelen. In de poging om de wereld logisch en overzichtelijk te houden, negeren we gemakkelijk deze troebele bron van de menselijke praktijk, en delegeren we de in- en uitgaven aan de economen, het goed en kwaad aan de ethici, en de waarheid aan de wetenschappers – alsof het in het leven zelf ook afzonderlijke gebieden zijn. Maar in plaats van rekenen, moraal en wetenschap angstvallig uit elkaar te houden, zou economie juist het domein moeten zijn waar deze samenkomen. Zoals in een gezinshuishouden er niet alleen moet worden gelet op het kasboekje en de voorraadkast, maar ook op de wisselende verlangens en talenten van de gezinsleden, en op de plek waar het huis is gebouwd. De mores, gewoontes en vieringen van een gezin zorgen ervoor dat deze uiteenlopende krachten niet uitmonden in een desastreuze chaos waarin iedereen zich onderbedeeld voelt en niemand de erkenning krijgt die hij *verdient*. Toen in het oude Griekenland in de term *oikos* (huishouden) voor het eerst het begrip economie werd gemunt, werd daar ook een soortgelijk stelsel van activiteiten mee bedoeld. Een levensstijl die gebruik maakt van de juiste vorm om de irrationaliteit van het leven te trotseren en niet van kansberekening met het oog op de beste uitkomst. De homo economicus bestaat wel, maar we moeten niet de vergissing maken deze mens te zien als een louter berekenend wezen, die in een wereld van schaarse middelen zijn winst probeert te maximaliseren.

Zonder huishouden zou de mens *nergens* zijn, overgeleverd aan het ongevormde universum van voor de zondeval. We zijn gedwongen te bezitten, om thuis te komen in de wereld. Tegelijkertijd zadelt deze thuiskomst de mens op met een 'oorspronkelijk schuldig-zijn'. Helaas is door enkele eeuwen christendom deze schuld nogal zwaar beladen geraakt.

De kerk stelde haar voor als een schuld die we ons als mens zelf op de hals hebben gehaald: een misdaad waarvoor terecht geboet moet worden. Een voorstelling die er overigens voor zorgde dat de religieuze traditie in haar bestaan kon voorzien. Ze joeg de leek angst aan met de boete waarmee de schuld vereffend moest worden en zo kon de kerkelijke gemeenschap groeien. Geloof op krediet.

En nog steeds vatten we schuldgevoel en schaamte op als de uitingen die samengaan met onze eigen immorele en excessieve natuur – zelfs de seculiere interpretatie van Sedláček maakt zich er schuldig aan.

Maar schuldgevoel leidt niet alleen tot lijden, het is ook de voedings-bodem voor iedere oikos. Wie schuld kan voelen, weet zich verantwoor-delijk. En wie schulden kan verantwoorden die moet wel beschikken over een vrije wil.

En ook deze vrije wil moeten we net als het verlangen eenduidig op-vatten, als de wil die vrij is om te doen wat hij wil. Het is een ongemak-kelijke vrijheid die nooit een duidelijk doel voor ogen heeft, maar voor-al gedoemd is van zijn vrijheid iets te maken, een zinnig ontwerp.

'Vrijheid *is* er alleen in de keuze van één van de mogelijkheden,' schrijft Heidegger wat zwaar op de hand, 'in het dragen van wat niet gekozen werd en niet gekozen kon worden.' Deze vrijheid oefenen de kleuters al op hun speelgoedochtend, als ze beschaamd vragen of ze met de auto van een klasgenootje mogen spelen of als ze met gegeneerde tegenzin hun eigen speelgoed even afstaan. Want schaamte en schuldgevoel schie-ten juist te hulp in de ongemakkelijke situatie waarin we markeren wat ons eigen en wat ons vreemd is.

Nadat Adam en Eva het fruit in bezit namen dat van niemand was 'gingen hun beiden de ogen open en merkten ze dat ze naakt waren. Daarom regen ze vijgenbladeren aan elkaar en maakten er lendenschor-ten van.' Dat is wat schaamte doet: schaamte verstopt iets om iets an-ders te laten zien. Of beter nog: schaamte gebruikt alleen het gebaar van het verbergen om iets aan het licht te brengen wat niet simpelweg kan worden aangewezen. God weet pas dat ze van het verboden fruit hebben gegeten als hij de kenmerkende eigenschappen van schaamte ziet.

Bij gebrek aan een absoluut overzicht weten we nooit zeker wat waar is of wat het goede is. Meer psychologisch gezegd: we weten niet hoe het hoort, maar we weten wel dat het op een bepaalde manier hoort. En in dit gewetensvolle weten gebruiken we de schaamte om ons non-verbaal te verontschuldigen voor 'de keuze van één van de mogelijkheden' en om ons besef te laten zien van het bestaan van 'wat niet gekozen werd en niet gekozen kon worden'.

Het onzekere en haperende gedrag waarmee we dit schaamtevolle besef tot uitdrukking brengen wordt weliswaar door de zich schamende als een straf of mislukking ervaren, maar in alle gevallen verheft deze openlijke erkenning van *het niet zeker te weten, maar het wel zo te doen* de chaos van de mogelijkheden tot één gedeelde werkelijkheid. Een sfeer waarin de zich schamende en de getuige van deze schaamte zich beiden thuis weten. Want schaamte zorgt steevast ook voor schaamte bij de toeschouwer. Ook op de fiets tijdens de verkoop van mijn walkman was er ongemak bij mij én bij mijn broer.

Het zien van elkaars ongemak schept op paradoxale wijze een nieuwe grond om dat wat we doen normaal te laten zijn. We schamen ons namelijk niet om *wat* we doen, maar om de mogelijkheid dat wat we doen niet zo hoort. En terwijl nergens definitief vastligt hoe we horen te handelen, wekken we met ons schaamtevolle gedrag het *bestaan* van zo'n norm juist tot leven. Zoals we van het bestaan zelf niet kunnen zeggen 'hier is het', zo kunnen we strikt genomen van ons gedrag ook niet zeggen 'zo moet het'. Door iets te doen en me er tegelijkertijd in mijn gedrag van te distantiëren, breng ik tot uitdrukking dat ik alleen in dit particuliere geval een beetje afwijk van de norm, waarmee ik in één moeite door het bestaan van een norm veronderstel, zonder deze te hoeven navolgen.

Terwijl we schaamte ervaren als een belemmering, maakt de opgeroepen sfeer juist de grootste vrijheid mogelijk. Het maakt het mogelijk iets te beginnen, ook op volstrekt onbekend terrein. En de omzichtigheid van de schaamte vervult tijdens dit pionierswerk een belangrijke functie. De houding stelt ons in staat er iets van op te steken voor een volgende keer, veel meer dan blinde moed of roekeloosheid opleveren.

Het ongemakkelijke moment is niet zelden omgeven met wat voorzichtige grappen. Hoe hulpeloos dat gedrag ook moge lijken, de grap is onderdeel van dit fragiele maar ingenieuze contact, omdat de grap bij uitstek de markering is van de grens tussen het normale en niet normale, het eigene en het vreemde. Net als in cabaret worden in de schaamte grappen afgewisseld met geruststellingen. En dat gebeurde ook op de fiets, waar mijn klasgenoten met grappen de situatie probeerden te normaliseren en ik mijn broer geruststelde door de kwaliteit van de walkman nog eens te benadrukken en hem de testcassette te beloven.

Het ongemak van de schaamte maakt dat we er liever niet aan overgeleverd zijn. Maar in plaats van schaamte uit de weg te gaan moeten we ons in deze dubbelzinnigheid blijven oefenen. En dat doet de mens spelenderwijs: door het beoefenen van het spel – van bal- tot bordspel, en zelfs van muziek- tot toneelspel. Want kenmerkend voor iedere gespeelde situatie is dat we handelen naar de wetmatigheid die niet de natuur, maar onze verbeelding zelf aan ons oplegt. Deze tijdelijke wetmatigheid verschaft een perspectief waar anders alleen onzekerheid zou heersen. Hoe deze oefening in het spel, door de druk van het grote geld in onze cultuur, in het gedrang raakt is onderdeel van het slot van dit boek. Waar het hier om gaat is dat al het menselijk handelen uit schaamte is geboren. En dat de grenzen van elke sociale praktijk telkens opnieuw langs deze schaamtevolle weg worden vastgesteld. Ook de grenzen van de economie kunnen alleen door de oefening in dubbelzinnigheid worden gemarkeerd, niet door eenvoudige berekening.

Die avond klopte ik op de kamerdeur van mijn broer. Het was de kamer die we gedeeld hadden tot hij twee jaar voor mij naar de middelbare school ging. Met alleen een bureaulamp aan zat hij aan zijn tafel achter een opgeslagen boek en een schriftje. Hij boog weg van het licht om me te kunnen zien. Toen schoof ik de doos in het licht van de bureaulamp voor hem op tafel. Ik had alles zo netjes mogelijk op zijn oorspronkelijke plek terug in het piepschuim geschoven. 'Die is nu van jou,' zei ik. Hij schoof in een ruk met stoel en al naar achteren en liep naar de klerenkast in de hoek van de kamer. Vanaf het plankje waar ooit mijn kleren hadden gelegen greep hij het blikken kluisje met Dagobert Duck erop. Ik had zo'n spaarpot ook gehad, maar die van mij was allang kapot. Hij knalde het blik op tafel, pakte het papiergeld dat hij met zijn werk bij het tankstation had verdiend, en begon te tellen. Toen ik dat zag voelde ik me even wat minder schuldig. Ik bedacht dat de aankoop voor hem niet zo groot was als de verkoop voor mij.

Er was niets onzekers meer aan hem te zien. Integendeel, uit het gemak waarmee de transactie nu plaatsvond leidde ik af dat het goed was zo. Hij verdiende dit snel genoeg weer terug.

'Negentig,' zei hij met een uitgestoken hand vol briefjes. Ik pakte het papier aan alsof het een gift was. Ook al hoefde ik me niet meer schuldig te voelen over de prijs, want die kon hij gemakkelijk betalen, ik besefte dat ik toch nog bij hem in het krijt stond.

2

De prijs

Weggegooid geld

Ik ben nog nooit naar de hoeren geweest, maar het idee te betalen voor seks vind ik eerlijk gezegd best opwindend. In de echtelijke liefde heeft zo'n transactie natuurlijk weinig zin, zeker als je zoals wij in gemeenschap van goederen bent getrouwd. Het geven van een verjaarscadeau is dan al een beetje toneelspel, dus betalen om de liefde te bedrijven met je eigen vrouw zal vast niet voor meer opwinding zorgen. Zeer waarschijnlijk wel voor een hoop problemen. Problemen die je gek genoeg voor hetzelfde geld juist voorkomt als je niet je eigen, maar een publieke vrouw betaalt voor seks. Ik weet niet of je het dan ook thuis moet vertellen, maar in elk geval is er een groot verschil tussen buitenechtelijke seks tegen betaling en buitenechtelijke seks zonder economische overeenkomst. Dat laatste noemen we overspel en is een stuk bedreigender voor een gemeenschap van goederen dan professionele lustbevrediging tegen betaling – want zo bekeken, dát doen we allemaal weleens. Onze economie draait grotendeels op het bevredigen van lusten tegen betaling.

Het is een intrigerende vraag hoe geld de waardering van een handeling kan veranderen. Strikt genomen zou de munt de eenvoudige uitdrukking van die waardering zijn. Een maat. Andere eenheden die we gebruiken om zaken te meten, zoals de meter of de kilogram, veranderen niets aan de aard van die zaak, geld doet dat wel. Zo weet ik dat er uitgevers zijn die bepaalde boeken bewust hoger prijzen, waardoor de waarde ervan groter lijkt, het verlangen ernaar groter wordt, en de verkoop stijgt. En ook de meeste merkkleding is om die reden duurder, niet omdat het textiel meer waard *is*, maar omdat het er meer waard van wordt.

Dat de prijs invloed heeft op de waarde toont dat geld geen neutrale maat is, maar een maat die de werkelijkheid zelf beïnvloedt. Niet alleen de werkelijkheid van de dingen, maar ook de werkelijkheid van onze verlangens is verknoopt met het onnavolgbare karakter van de munt. Zelfs zo, dat de vraag wat we nu werkelijk willen niet kan worden beantwoord los van de prijs die het object van verlangen heeft. Niet alleen van de hoogte van de prijs, maar in de eerste plaats van het feit óf het een prijs heeft. Onze verlangens zijn even wispelturig als koerswisselingen, komen op en verdwijnen als trends en zouden in veel gevallen niet eens bestaan zonder de markt. Eva wist bijvoorbeeld allang van het bestaan van de verboden vruchten, maar ging er pas naar verlangen toen de slang ze had aangeprezen.

In de behoefte aan meer geld – een behoefte die bij veel mensen dagelijks als een spook door het hoofd waart – wordt geld meestal voorgesteld als een uitbreiding van je mogelijkheden zonder meer, een zuivere potentie. Terwijl het bezit van meer geld zoveel praktische gevolgen heeft dat het niet alleen mogelijkheden in zich draagt, maar jouw wereld al daadwerkelijk heeft veranderd zonder dat je er een cent van hebt uitgegeven. Het beheren van meer geld kost meer tijd. Want tijd kost geld, maar geld kost ook tijd. Om te beginnen, waar laat je het meer aan geld? Ga je het investeren? Laat je het rollen? Stop je het in een nieuwe auto, een groter huis? Zet je het op de bank tegen een hoge rente? Maar welke bank? Sinds het omvallen van het Amerikaanse Lehman Brothers en het IJslandse Icesave en het Nederlandse DSB zou het mij niet verbazen als de sok als kluis weer sterk aan populariteit heeft gewonnen. Hoe dan ook, geld is nooit alleen maar een zuivere mogelijkheid. Als het om echt heel veel geld gaat, ben je zelfs gedwongen je hele leven opnieuw te overdenken en in te richten. Want als je niet meer hoeft te werken voor je geld, verandert in een klap je sociale leven. En je moet op zoek naar een nieuw doel waar je iedere dag je bed voor uitkomt. Deze gedachten behoren tot het gezelschapsspel dat rond de oudejaarsloterij in veel huiskamers wordt gespeeld: 'Wat zou jij doen als je tien miljoen wint?'

De voorstelling van geld als neutraal middel en zuivere potentie heeft zo'n grote aantrekkingskracht, dat we sterk geneigd zijn te denken dat als *wij* die tien miljoen winnen we écht wel weten hoe we gewoon onszelf zullen blijven – dat geld ons als hoge uitzondering wel gelukkig maakt. Maar daarover zo meer.

In het najaar van 2001 was ik verliefd op de vrouw met wie ik een paar jaar later zou trouwen. Ik wilde haar trakteren op een lang weekend Brussel. Ze reageerde afhoudend. Op een of andere manier bracht het voorstel haar in verlegenheid. Alle omzichtigheid en onzekerheid betrachtend die hoort bij beginnende liefde kwam ik er gaandeweg achter dat het een geldkwestie was. Ik was voor mijn doen in die tijd zogezegd vermogend. Nog steeds gewend aan het zuinige leven dat ik als student noodgedwongen had geleid, werkte ik nu, naast een klein baantje op een redactie, als freelance journalist. Omdat ik nog geen kinderen had en mijn huis mijn werkplek was, waren mijn lasten laag en kreeg ik alle denkbare financiële en fiscale voordelen zomaar in de schoot geworpen (van huursubsidie en startersaftrek tot de volledige teruggave van allerlei op mijn loon ingehouden premies). Mijn toekomstige vrouw studeerde toen nog. Een weekendje Brussel drukte nauwelijks op mijn begroting maar voor haar zou het een hele uitgave zijn geweest. Daarom ook meende ik te moeten trakteren.

Eerst dacht ik dat emancipatoire motieven haar misschien weerhielden om de gift aan te nemen, maar ik kreeg steeds meer het gevoel dat de som geld die nodig was voor deze traktatie in haar ogen een vorm van liefde kopen was. En wie weet was dat ook wel een beetje het geval. Het zou naïef zijn om te beweren dat cadeaus aan een geliefde volstrekt belangeloos zijn. Ja, we geven uit liefde, maar wat betekent dat? 'Men kan er dit van zeggen,' schrijft de zeventiende-eeuwse La Rochefoucauld over de liefde, 'in onze ziel is ze een heerszuchtige hartstocht, tussen de mensen onderling een verstandhouding, en in ons lichaam een sluimerende lust om degene die we beminnen na een heleboel geheimzinnigheid in bezit te nemen.'

Hoe het ook zij, liefde maakt creatief of in elk geval volhardend, dus verzon ik een list. Ik stuurde een mail naar mijn hele adressenbestand met als onderwerp 'Coins for Coen', verwijzend naar 'Coins for Care', de goededoelenactie die toen net veel aandacht kreeg en opriep oude buitenlandse munten in te leveren voor ze door de invoering van de euro waardeloos zouden worden. Iedereen die nog buitenlandse muntjes van voorbije vakanties had liggen spoorde ik aan ze naar mij te sturen. Ook een goed doel, zo schreef ik in de mail, want het diende 'De Liefde' en niet te vergeten ging het geld nu ook naar Brussel. Een win-winsituatie. De melige actie raakte de juiste snaar want binnen enkele dagen lagen de eerste envelopjes met buitenlandse munten in de brievenbus. Het bleek voldoende voor de treinkaartjes en het hotel.

Ze moest erom lachen en accepteerde mijn aanbod nu wel. Maar waarom? Uiteindelijk gaf ik er evenveel geld aan uit. En het was nog steeds *mijn* geld. Ik had het immers in beide gevallen verdiend. Want of je je centen nu door een grap of door hard werken omzet, geld is geld. Was ze gecharmeerd door de moeite die ik in de actie had gestoken? Zag ze deze als een offer? Durfde ze niet meer te weigeren? Of kwam de verlossing door de simpele ingreep van Fortuna, die met een combinatie van toeval en winst ons geld in handen gaf dat anders ongebruikt was gebleven, weggegooid geld dus? Een gelukje dat ons tijdelijk buiten de economie van de schuld plaatste.

Ik kan natuurlijk gewoon vragen wat haar motieven destijds waren, maar wat schiet ik daarmee op: je eigen intenties en verlangens zijn even betrouwbaar als het geheugen. Zeker in de liefde. 'Als er al een liefde bestaat die zuiver is, en onvermengd met andere hartstochten,' schrijft La

Rochefoucauld, 'dan is het de liefde die in het diepst van ons hart verborgen ligt, en waar we zelf geen weet van hebben.' En hetzelfde lijkt op te gaan voor de grillige waarde van het geld. Als er al een zuivere waarde bestaat, en onvermengd met andere belangen, dan is deze zo diep in het hart van onze economie verborgen dat geen munt haar kan vertegenwoordigen.

Om vat te krijgen op de werking van geld, het vreemdste goed in onze gemeenschap van goederen, hebben we dan ook beslist meer aan La Rochefoucaulds genadeloze 'bespiegelingen over menselijk gedrag' dan aan de duidingen van een beursanalist. Ook als geld geen rol speelt, leren zijn analyses, doet de mens niets voor niets. 'Het is moeilijk te zeggen of een zuivere, oprechte en eerlijke manier van handelen voortkomt uit rechtschapenheid of berekening,' niet in de laatste plaats omdat deugden meestal 'vermomde ondeugden' zijn. Zoals edelmoedigheid, schrijft hij, meestal niets anders is dan een 'gecamoufleerde ambitie, die voorbijgaat aan kleine belangen op jacht naar grote'. Anders gezegd, we zien iemand die van veel verlokkingen afziet en zijn verlangens weet te matigen, maar feitelijk doet hij dit om een veel grotere buit binnen te halen. Ook het doorgaans nobele 'plichtsbesef' is in zijn ogen vrijwel altijd de vermomming van de luiheid en de angst die ons drijven onze plichten na te komen.

Deugden zijn net als de ogenschijnlijk neutrale munt in staat om slecht gedrag en onzuivere motieven wit te wassen. Daarmee moeten we La Rochefoucauld niet veroordelen als een pessimist die achter elk altruïsme wel een eigenbelang verscholen ziet. Zijn analyses komen met een veel belangwekkender antropologisch inzicht, namelijk dat deugden onze daden de schijn van eenduidigheid geven, terwijl achter ons gedrag meestal een amalgaam van uiteenlopende hartstochten schuilt. Een netwerk van verlangens dat niet tot een enkele oorzaak is te reduceren – niet door zelfinzicht, en ook niet door het nijvere werk van de neurowetenschapper. La Rochefoucauld brengt deze weerbarstige realiteit aan de oppervlakte met zijn beroemd geworden methode van de maximen: het formuleren van puntige spreuken die telkens één enkele menselijke gedraging onder de loep nemen. De methode brengt gek genoeg juist door argumenten uit de weg te gaan waarheden aan het licht. Met zijn stellige en vormvaste uitspraken stapt La Rochefoucauld behendig over ethische discussies heen die een antropologisch zicht op de mens zo kunnen vertroebelen. 'Als we onze gebreken al ooit toegeven, dan alleen uit ijdelheid.' Zijn lucide constateringen werken als genadeloze spiegels die de hartstochten aan het werk tonen zonder dat ze zich achter deugden kunnen verschuilen. Over bezit schrijft hij: 'Veel mensen doen geringschattend over bezit, weinigen zijn bereid het weg te geven.' En als we dan toch een keer vrijgevig zijn, dan moeten we dit niet meteen voor gulheid aanzien, want 'eigenbelang speelt allerlei rollen, zelfs die van onbaatzuchtigheid'.

Mijn eigen, door eros ingegeven belang moest met een andere rol worden verhuld. De rol van onbaatzuchtigheid voldeed in elk geval niet om haar mee te krijgen naar Brussel. Want, als zij door mijn gunst juist het gevoel kreeg dat ik haar liefde kocht werd mijn eigenbelang alleen maar benadrukt. Hoe ik de gespeelde rollen zou moeten omschrijven waarin het me wel lukte haar voor het plan te winnen vind ik lastig te zeggen, maar zeker is dat het spel met de muntjes de liefde pas uit de greep van het schuldgevoel haalde.

Geven lijkt zoiets eenvoudigs, maar als je niet uitkijkt dan *geef* je niet, maar neem je iemand in bezit. Dat er in een gift altijd een verplichting voor de ontvanger verpakt zit is volgens de Franse antropoloog Marcel Mauss de grond onder iedere samenleving. Zijn essay over de gift uit 1950 (*Essai sur le don*) opent met enkele verzen uit de Scandinavische *Edda*, met daarin de welluidende waarschuwing dat 'zij die elkaar cadeaus geven, het langst bevriend blijven, áls het tenminste goed uitpakt'. Centraal in het essay staat de zogenaamde potlatch, de rituele ontmoeting tussen twee archaïsche stammen, waarbij de ene stam de andere zodanig probeert te overtreffen in zijn giften, offers en weldadigheden dat complete voorraden worden vernietigd. Niet alleen worden er nuttige zaken en goederen weggegeven, ook wordt er kostbaar voedsel verslonden en 'er wordt zelfs vernietigd om het plezier van het vernietigen', bijvoorbeeld door grote hoeveelheden sieraden en munten in de zee te dumpen.

Het vernietigende effect van de gift moet volgens Mauss niet worden toegeschreven aan de primitieve staat van de culturen die hij beschrijft. Schuld en vernietiging zijn noodzakelijke onderdelen van de dialectiek van de gift. In het overladen met cadeaus wordt niet alleen de vrijheid en de superioriteit van de schenker uitgedrukt, de ontvanger krijgt met de gift ook een schuld in handen. Op dezelfde wijze als een compliment niet alleen hoogachting, maar ook goedkeuring impliceert. Elk applaus is het begin van een cyclus van geven en teruggeven. De eer die de gecomplimenteerde ten deel valt dient hij te beantwoorden met bijvoorbeeld een buiging. Als reactie daarop volgt een staande ovatie, die alleen kan worden terugbetaald met een toegift, en ten slotte alleen nog met een fetisj, zoals een drumstok of een tennisbal. Zo strooide Elvis bij zijn concerten met stoffen zakdoekjes voorzien van zijn zweet en handtekening. Dat de waarde van de gift met iedere ronde in deze cyclus toeneemt blijkt wel uit de prijs van deze Elvis Presley Handkerchiefs, die vandaag de dag nog steeds voor vijfhonderd dollar per stuk van de hand gaan op vintagewebsites.

'De giftverhouding sluit aan bij een fundamentele antropologische structuur,' stelt de Vlaamse filosoof Marc De Kesel. In zijn hedendaagse cultuurkritiek *Niets dan liefde. Het vileine wonder van de gift* beschrijft De Kesel hoe de gift alle menselijke relaties in zijn greep houdt. 'De mens leeft niet van zichzelf, hij leeft van wat hij met anderen deelt. En die structuur vertolkt tevens de fundamentele conditie van zijn vrijheid.' En daaronder verstaat De Kesel hetzelfde als de vrijheid die we bij Heidegger tegenkwamen. De mens is altijd onderdeel van een bestaand netwerk van relaties en omstandigheden. En alleen daarin bestaat zijn vrijheid, in deze 'geworpenheid', zoals Heidegger het noemt, want hij heeft niet de vrijheid om hier even uit te stappen en uit te zien naar een andere wereld. 'Hij leeft altijd midden in die wereld,' schrijft De Kesel, 'hij leeft altijd *van* die wereld, een wereld vol mensen van wie hij krijgt en aan wie hij geeft. Enkel binnen de onderlinge relatie van "geven en krijgen" is hij tot vrijheid in staat.'

We staan altijd midden in de wereld en in die wereld staan we ook altijd bij iemand in het krijt. En we zagen al bij de kleuters op hun speelgoed-ochtend dat schuld een band schept. Mauss laat met zijn antropologisch onderzoek aan de Amerikaanse Noordwestkust en op de eilanden van Polynesië en Melanesië in de Stille Oceaan zien dat deze kracht van schuld de motor is van hele beschavingen: 'Culturen hebben vooruitgang ge-boekt voor zover zij in hun geheel, de subculturen, en uiteindelijk de in-dividuen ervan, succesvol waren in het onderhouden van relaties, in schenken, ontvangen en ten slotte, in het teruggeven.'

De verbinding die we in eerste instantie uit schuldgevoel en wedijver aangaan levert in een wereld die aan elkaar hangt van onderlinge rela-ties uiteindelijk een grote bewegingsvrijheid op en een netwerk waarop we kunnen terugvallen in tijden van nood. En buiten deze fysieke bewe-gingsvrijheid stelt de cyclus van de gift ons ook nog tot een meer gees-telijke vrijheid in staat. Met het spel van geven en krijgen weet de mens zich voor even te onttrekken aan de noodzakelijke wetten van de na-tuur. Al worden wij strikt genomen meer door de natuur bezeten dan dat we zelf bezitten, door iets te *kunnen* geven veronderstel ik vrij te zijn, verheven boven noodzaak en nut. Want wat we kwijt kunnen zon-der onszelf te verliezen, dat zijn we de baas.

Verspillen wordt om die reden dan ook niet per definitie als zonde er-varen. Een lekkende kraan, dat is zonde, een onvolkomenheid in een systeem. Maar iets kopen wat we niet nodig hebben is juist het extra waardoor we ons vrij voelen ten opzichte van de natuur. Deze winst is vreemd genoeg een onderbelichte kant van het verhaal van de zondeval, en verklaart ook het geluk van de gokker. Verspelen is onderdeel van het spel.

De roes waarmee Aleksej Ivanovitsj zijn geld inzet aan de roulette-tafel in *De speler* van Fjodor Dostojevski wordt zeker niet alleen aan de gang gehouden door de mogelijkheid heel veel geld te verdienen, maar juist door het te kunnen weggooien. 'Ik denk dat ik in een kleine vijf minuten vierhonderd friedrichs d'or in handen had. Op dat moment had ik er mee uit moeten scheiden, maar ik werd door een vreemd gevoel aangegrepen, ik wilde het noodlot tarten, bespotten, er de tong tegen uitsteken. Ik zette de hoogst toegestane inzet in, vierduizend gulden, en verloor. Daarna haalde ik verhit alles tevoorschijn wat mij restte, zette dat in op hetzelfde nummer en verloor opnieuw, waarna ik mij als verdoofd van de tafel verwijderde.' Hoe zinloos het ook moge lijken, het tarten van het noodlot is geen archaïsche gewoonte die op een dag zal zijn uitgestorven. Het offer is onlosmakelijk verbonden met de menselijke vrijheid.

Het succes van de primitieve samenlevingen die Mauss beschrijft in zijn essay over de gift is niet domweg gelegen in wie het meeste gaf, verspilde en vernietigde. Het gaat er natuurlijk om hoe het gebeurde, om het zichtbare ritueel, het spel. Het is immers een strijd tussen twee stammen, die elkaar als publiek hebben. Het platbranden van al je voorraden en dumpen van je rijkdommen zou zonder getuigen ook in deze agonistische culturen volstrekt zinloos zijn. Zelfs Aleksej Ivanovitsj merkt dit op als hij aan de roulettetafel al zijn geld op rood zet, nadat het balletje al zevenmaal achtereen op rood terecht is gekomen. 'Ik ben ervan overtuigd dat voor de helft mijn eigenliefde hierbij meespeelde, ik wilde de toeschouwers verbaasd doen staan door krankzinnige risico's te nemen en – o, vreemde gewaarwording – ik herinner mij duidelijk dat ik plotseling zonder enige uitdaging van mijn eigenliefde beheerst werd door een onlesbare dorst naar het nemen van risico's. Misschien raakt de mens niet verzadigd als hij zoveel emoties ondergaat, maar wordt hij er slechts door geprikkeld en eist hij steeds sterker en sterker emoties totdat hij de uitputting nabij is. Ik spreek werkelijk geen onwaarheid als ik zeg dat ik beslist vijftigduizend gulden ineens zou hebben ingezet als het reglement dit zou hebben toegestaan.'

We zijn geneigd het gedrag van gokkers en archaïsche samenlevingen te zien als schoonheidsfouten of primitieve voorstadia van echte beschaving, en de beschaving van onze moderne samenleving als iets wat in de grond rationeel is. Maar aan iedere samenleving, ook aan de onze, ontbreekt een rationeel vertrekpunt, een eenvoudig vertrekpunt waar alle uitingen van de samenleving uit voortkomen en uit te verklaren zijn. Vanwege het ontbreken van zo'n begin is iedere cultuur genoodzaakt te spelen alsof ze een rationeel geheel is.

'Cultuur komt op in spelvorm,' schrijft Johan Huizinga al in 1938 als hij in zijn *Homo ludens* aandacht aan de potlatch besteedt. 'Ook die activiteiten, welke rechtstreeks op de bevrediging van levensbehoeften gericht zijn, zoals bijvoorbeeld de jacht, zoeken in de archaïsche samenleving gaarne de spelvorm.' Uiterlijk vertoon en competitie komen niet als amusement voort uit de cultuur, 'maar gaan er aan vooraf'.

De aanname dat de moderne samenleving een rationeel fundament heeft is een misvatting die volgens Huizinga in iedere cultuur op de loer ligt, omdat het spelelement steevast bij het 'voortschrijden der cultuur op de achtergrond' raakt. Met dit ernstiger worden van cultuur vertroebelt de blik op de eigenlijke grilligheid van onze beweegredenen. Een sterk ontwikkelde cultuur heeft zo'n ingenieus systeem op poten gezet om het irrationele de baas te blijven, dat ze dit systeem gemakkelijk met de werkelijkheid zelf identificeert. Alles lijkt dan meetbaar en beheersbaar. En we begrijpen steeds minder waarom het nooit goed lukt om eerlijk te delen. Iedereen denkt het te willen, net als dat iedereen het redelijk lijkt te vinden dat 'de sterkste schouders de zwaarste lasten' moeten dragen.

Als het al mogelijk zou zijn om al het kapitaal en bezit objectief vast te stellen (maar daar kom ik straks op), dan ontkomen we nog altijd niet aan de cyclus van de gift die verweven is in het netwerk van de menselijke verhoudingen. Mauss wijst bijvoorbeeld in zijn essay op de rol van de zorg en sociale uitkeringen, die de staat als compensatie verstrekt voor de gift van de arbeider, omdat het salaris alleen nooit kan teruggeven wat deze in het arbeidsproces van zichzelf gaf.

De grootte van de restschuld kan nooit worden bepaald, maar de eeuwige schuld is wel debet aan een voortdurende onvrede. Bij het publieke debat in november 2012 over de inkomensafhankelijke zorgpremie uit het regeerakkoord van het kabinet Rutte II, leek de eerlijkheid van de verdeling alleen vast te stellen met een heldere doorrekening van het Centraal Planbureau. Wanneer we vergeten dat onze economische formules alleen maar instrumenten zijn om vat te krijgen op een al te grillige werkelijkheid, dan wordt eerlijkheid een kwestie van tellen en schuld een kwestie van aflossen. Moraal vormt geen onderdeel meer van dat spel. De Amerikaanse politiek filosoof Michael Sandel beschrijft in zijn boek *Niet alles is te koop* een illustratief experiment uit 2000 van de gedragswetenschappers Uri Gneezy en Aldo Rustichini. Het liet zien dat wanneer kinderdagverblijven boetes gaven aan de ouders die hun kinderen te laat ophaalden, deze boetes werden gezien 'als een vergoeding die ze bereid waren te betalen'. Met averechts effect: 'Het aantal keren dat kinderen te laat werden opgehaald verdubbelde bijna.' Het verrekenen van onvrede neemt de schaamte weg die de motor is van het ethisch handelen. 'Door mij sociaal te gedragen bouw ik voor mezelf bij de anderen, bewust of onbewust, een kapitaal aan goodwill op waaruit ik later misschien ooit wel zal putten,' schrijft de Brusselse oud-hoogleraar fiscaliteit Jos Defoort (1934-2003) in *Het grote geld. Keerpunten in de monetaire geschiedenis*. 'Wanneer ik een dienst aanbied zonder betaling te verlangen, voelen anderen zich verplicht mij iets terug te geven, daarom niet iets specifieks, dat onmiddellijk geleverd wordt, maar een hele gamma *mogelijke* diensten, gespreid over een *niet-bepaalde periode*. (...) De onbepaaldheid van mijn vordering op de anderen is geen nadeel, het is een pluspunt, want ik weet niet wat ik morgen nodig zal hebben.'

Dat het spel, volgens Huizinga, in iedere cultuur op de achtergrond raakt, zoals ook de regels en de tactieken van een potje voetbal steeds meer onderwerp van gesprek worden ten koste van de geest van het spel, wekt het vermoeden dat het leven zelf ook logischer wordt – een meetbaar en controleerbaar geheel.

Maar de helderheid van deze logica is zoals gezegd bedrieglijk. Dat het leven ten diepste onbegrepen blijft is weliswaar niet iets waar je de hele dag bij stil moet staan – er zou niets meer uit je handen komen – maar als we op de rationaliteit van het leven vertrouwen als op een gesmeerd systeem lopen we het gevaar te vergeten dat het als een spel gespeeld moet worden. Niet met de lichtzinnigheid van een spelletje, maar wel met de nodige verbeeldingskracht en zonder gegarandeerd resultaat. Een spel waarbij de winstuitkering uiteindelijk in handen blijft van Fortuna, en niet in die van de aandeelhouders.

Ik ben niet een idealist die meent dat niet alles te koop is of zou moeten zijn. Voor alles van waarde is nu eenmaal een markt. Het enige waar ik op wijs, is op de schijn van financiële zekerheid, niet omdat zelfs de hardste munt onderhevig is aan koerswisselingen, en ook niet omdat 'geld lenen geld kost', maar omdat de munt de waarde alleen maar symboliseert. Wat mensen van zichzelf geven in een economie valt niet samen met de abstracte maat of munt waarmee we de transactie verrekenen. Niet in de juiste berekening, maar in de geraffineerdheid van het spel met het toeval ligt ten slotte de overlevingskracht van een cultuur.

Op internet vond ik een lijst telefoonnummers van goedkope hotels in het centrum van Brussel. Het was bijna kerst, maar ik twijfelde er geen moment aan dat het geluk aan onze kant stond en we nog een geschikte kamer zouden vinden. Terwijl ik de lijst afbelde stapelde ik met mijn vrije hand de verzameling vreemde munten op in kleine torentjes op mijn bureau. De Portugese escudo's, Duitse marken, Franse franken en Griekse drachmen, die mijn Coins for Coen-actie had opgeleverd, waren souvenirs van zomervakanties en stedentripjes die ik zelf niet had beleefd. Ik zou het ongepast hebben gevonden met dit geld te spelen als ik er niet van overtuigd was geweest dat het grootste deel van de verzameling metaal in diverse laatjes, potjes en pennenbakken een waardeloos lot had gewacht. Het overschot van andermans plezier kreeg op de valreep een nieuwe bestemming en maakte een nieuwe gebeurtenis mogelijk. Achter de torentjes, tegen de muur stond de 'eurokit', het blauwe kartonnetje met de glimmende nieuwe euromunten die het rijk aan al haar belastingbetalers cadeau deed, als je tenminste bereid was de kit bij het postkantoor af te halen. Ik kon me haast niet voorstellen dat deze munten over iets meer dan een week meer waard zouden zijn dan de bijzondere verzameling die ik voor mij en mijn geliefde bij elkaar had gebracht.

De goedkoopste hotels waren vol, maar ik liet me onze voorspoed niet afnemen en boekte het iets prijziger Hotel de la Bourse aan de Rue Antoine Dansaert.

Het hotel bleek bij aankomst een tikkeltje shabby, althans die indruk wekte het. Ik kende Brussel nog niet goed. En wat we in een vreemde stad eerst gek of onverzorgd kunnen vinden, zien we soms later juist als de karaktervolle charme van die stad. Maar op dat moment wist ik nog niet of we in de vergeelde vitrages romantiek of vergane glorie moesten zien. De bedompte kamer keek aan de straatkant uit op een klein pand dat tussen de zwartgeblakerde negentiende-eeuwse gevels opviel met een glad gestucte pui en een donkere massieve deur in het midden. Boven de deur stond in krullende neonletters de naam van het etablissement geschreven. Ik zag dat het handjevol gasten dat zo nu en dan voor de deur stond moest aanbellen om naar binnen te kunnen. Ook nu weer wist ik niet zeker of dit een teken van verval of beschaving was, morsig of juist exclusief.

Mijn onzekerheid over waar we terecht waren gekomen had natuurlijk alles te maken met de nog prille liefde. Liefde maakt blind, zeggen ze, maar feitelijk hebben geliefden een heel scherpe blik voor alles wat het beeld van de liefde kan bederven, zodat ook ieder moment de stemming kan omslaan van lyrisch naar walgend. Voortdurend zoeken verliefde ogen naar omstandigheden die hun liefde kan cultiveren. Een verkeerde buurt straalt af op de schoonheid van je minnaar en kan de liefde zelfs om zeep brengen – daar is geen innerlijke schoonheid tegen opgewassen.

Argwanend kijken we met de blik van de ander naar de wereld, omdat ons lot ervan afhangt. En zo worden we ons in de liefde van onszelf bewust als 'in de vorm van een *bezit*', schrijft Jean-Paul Sartre in *Het zijn en het niet*. 'Ik word door de ander bezeten; de blik van de ander modelleert mijn lichaam in zijn naaktheid, brengt het ter wereld, beeldhouwt het, brengt het voort zoals het *is*, ziet het zoals *ík* het nooit zal zien. De ander bezit een geheim: het geheim van wat ik ben. Hij doet mij zijn en daardoor bezit hij mij.'

Ik zag opnieuw een klein groepje mensen de deur aan de overkant binnengaan en plotseling vreesde ik dat mijn geliefde alsnog het gevoel zou kunnen krijgen dat ik haar hierheen had gelokt. Dat ik betaalde voor haar liefde. Want dit leek me zo'n buurt die de zeepbel van de liefde kan doorprikken. Ik zocht een uitweg.

Zij mocht het misschien al niet fijn vinden als ze het gevoel had dat ik haar liefde kocht, ikzelf wilde haar natuurlijk ook niet op die manier beminnen. Want 'de minnaar', schrijft Sartre ook, 'begeert niet de beminde te bezitten zoals men een ding bezit; hij eist een speciaal soort toe-eigening. Hij wil een vrijheid als vrijheid bezitten.'

In de kleine reisgids die ik voor ons uitje had gekocht probeerde ik de culturele status van deze buurt te achterhalen en kwam tot mijn grote opluchting tot de ontdekking dat achter de gesloten deur aan de overkant een vermaarde jazzclub huisde, waar de cocktails en het art-deco-interieur onveranderd waren sinds de club in de jaren dertig was geopend. Het ongemak was voorbij. En kwam voor zover ik me herinner tijdens dit uitje niet meer terug. We begaven ons naar de overkant, waar rookten, dronken en zoenden terwijl we uitkeken op het raam van onze hotelkamer, die vanuit deze bubbel al zijn mufheid had verloren.

'In de liefde begeren we bij de ander niet het determinisme van de passie,' schrijft Sartre, 'noch een onbereikbare vrijheid, maar een vrijheid die het determinisme van de passie *speelt* en in dat spel opgaat.' En zo ging het ook met onze verlangens. De eigen verlangens werden opgeheven in een spel, dat ons samenbracht alsof we als vanzelf naar elkaar werden toegedreven. *Alsof*, want deze tijdelijke voorstelling van de wereld verhulde slechts het geworstel waarmee we hier terecht waren gekomen. Zoals elke liefde en ieder huwelijk een voortdurende worsteling verhullen, en zoveel vragen van onze schaamte. In het leven zou niets tot stand komen als we ons niet zouden gedragen *alsof* het zo moest zijn. We zouden verstrikt raken in de vele verlangens die allemaal een eigen kant uit willen. Alleen in een of andere vorm (*alsof*) zijn we in staat de onuitputtelijke en redeloze verlangens voor ons karretje te spannen.

De liefde, zeker de lichamelijke liefde associëren we doorgaans eenvoudigweg met natuur, en niet met iets dat gecultiveerd moet worden. Maar er kan geen liefde bestaan zonder haar te spelen. Al bij een enkele zoen moet de mens kunstgrepen uithalen om te ontkomen aan de wedloop van de gift zoals Mauss deze beschrijft. Want in de liefde houdt het over en weer geven van cadeaus niet op zodra de geliefden elkaar zogezegd in bezit hebben genomen, hebben veroverd. Het uitruilen gaat verder. Het verplaatst zich van de *dingen* naar de ruil van strelingen, kussen en bevredigingen – die net als cadeaus niet de liefde zelf zijn, maar er symbool voor staan. Het liefdesspel is zo telkens bezig te voorkomen dat deze ruilhandel liefdeloos wordt. Het moet de liefde uittillen boven de economie van de schuld, voorbij de redenering 'ik gaf jou je genot, nu heb ik recht op het mijne'. Maar het blijft economie, ook de liefde. Een economie die drijft op uiteenlopende verlangens die alleen op hun eigen bevrediging uit zijn, maar door het spel te spelen niet genot maar de liefde als winst heeft.

Ook nu weer zien we dat de zondeval niet alleen schuld maar ook winst oplevert. Als Adam en Eva nog geen begeerte kennen en alleen primaire behoeften hebben (want ze eten wel in de tuin van Eden: de vruchten van alle bomen, 'behalve die van de boom in het midden van de tuin'), spelen ze nog geen geheimzinnig spel met vijgenbladeren en dierenhuiden. Dat komt pas met de gift van Eva aan Adam, de eerste verspilling, aangezien zij die niet nodig hebben. Zelfs de verrassende economische interpretatie van Tomáš Sedláček in *De economie van goed en kwaad* ontkomt niet aan de christelijk klinkende terechtwijzing van de menselijke hebzucht, waarvoor de mens wordt gestraft. God zelf gaat weer eens vrijuit. Maar wie had om te beginnen die boom daar neergezet? En van wie kwam het verbod? En waarom? Vooral die laatste vraag is van belang. De zogenaamde kennis die deze vruchten bezitten wordt nergens in de bijbel prijsgegeven. Het gaat niet om *wat* er niet prijsgegeven mag worden, het gaat erom *dat* er niet prijsgegeven mag worden. Niet het eten van de boom is de verspilling, maar dat die boom er staat en dat je er desondanks af moet blijven, dat is de verspilling.

Al staan Adam en Eva door te snoepen van deze oorspronkelijke verspilling meteen bij elkaar in het krijt, het is de investering wel waard. Met het ontstaan van een behoefte die het primaire overtreft, kortom een behoefte aan iets wat hij niet nodig had, begint het spelen met verlangens, het spel dat de mens tot mens maakt.

Maar omdat de schaamte in het scheppingsverhaal doorgaans wordt opgevat als de straf voor de zonde ontgaat ons het belang ervan in dit spel. In de schaamte wordt de mens zich immers van een grens bewust. Een grens tussen wat eigen is en wat vreemd, tussen normaal en niet-normaal. Het spel met de overbodige lusten staat zo aan de basis van een thuis. Met de zondeval komt de mens thuis. Thuis *in the middle of nowhere*, daar op dat willekeurige punt waar zijn begeerte toevallig doel trof. Deze toevalligheid ervaren we in iedere prille liefde, die zoet en bitter smaakt, omdat we ons uitverkoren voelen en tegelijk ook veroordeeld tot elkaar.

Vóór de zondeval leeft de mens in onschuld en zonder schaamte. Dat klinkt heel maagdelijk, maar daar is weinig romantisch aan. Adam en

Eva hebben zichzelf zogezegd nog niet ontdekt. Ze zijn mensen zonder eigenschappen. Pas na de ontdekking van hun zelf wordt het bedekken zinnig en pas dan kunnen hun primaire verlangens liefdevol worden. De belangrijkste boodschap van de scène uit het paradijs is dat liefde om een zeker huishouden van de lusten vraagt. Dat liefde in zekere zin de kleinst mogelijke culturele sfeer is, gecultiveerd uit een chaos van verlangens. Zomaar op een toevallige plek in de wereld door toevallige samenloop van behoeften en omstandigheden. Want al stellen dating-sites en tv-programma's als *Boer zoekt vrouw* de liefde soms voor als een zaak die rationeel te beslissen is, geen enkel besluit en dus ook geen enkele liefde komt uiteindelijk tot stand na een uitputtend objectief onderzoek van alle mogelijkheden. We zijn immers, om het beeld van Heidegger nog maar eens op te roepen, in deze wereld geworpen.

De liefdevolle mens is een homo economicus, niet uit berekening maar omdat een liefdesverhouding zelf een lusthuishouding is, met de liefde als winstgevend resultaat.

En zo is economie dan ook begonnen, als lusthuishouding, schrijft Michel Foucault, in *Het gebruik van de lust*, het tweede deel van *De geschiedenis van de seksualiteit*. Hij verwijst naar Xenophons *Oeconomicus*, de socratische dialoog uit de vierde eeuw voor Christus die handelt over het huishouden (oikos) van de grondeigenaar in het klassieke Griekenland. In de dialoog komt uitgebreid aan de orde hoe een eigenaar door een beter huishouden tot een betere bestuurder wordt, maar het uiteindelijke succes van de oikos steunt op een tamelijk toevallige constellatie van geschreven en ongeschreven regels rondom de liefdesbetrekkingen die een man onderhoudt met vrouwen, courtisanes, minnaressen, hoeren, knapen, slaven én zijn echtgenote. Dit allemaal om de hoeksteen van het huishouden te garanderen: het huwelijk van de grondeigenaar, 'een gemeenschap van goederen, leven en lichamen'. De regels met betrekking tot de lusthuishouding zijn er niet uit respect voor de echtgenote, maar dienen in de eerste plaats om bestuurlijke ellende te voorkomen waartoe de amoureuze uitspattingen van een grondeigenaar zouden kunnen leiden. Zo kan buitenechtelijke seks met de vrouw van een andere grondeigenaar de oikos van de ander zodanig uit evenwicht brengen dat het een negatieve invloed heeft op de hele gemeenschap van huishoudens, wat slecht is voor handel en veiligheid. En ook al laat de seksuele moraal van die tijd wel toe dat een man verschillende vrouwen heeft, ook hier moet een zekere matiging in worden betracht, 'want de bedreiging van het huwelijk komt niet van het genot dat de man soms hier of daar haalt, maar van de wedijver die kan ontstaan tussen de echtgenote en de andere vrouwen'.

Al is het duidelijk dat de economische bubbel uit de tijd van Xenophon door een heel ander krachtenspel van verlangens in de lucht wordt gehouden dan de onze, in beide gevallen mogen we aannemen dat een samenleving gedragen wordt door een systeem dat is ontstaan in de toevalligheid van de bestaande omstandigheden, machtsverhoudingen, opvattingen en gevoelens. En, niet onbelangrijk, het systeem wordt juist gedragen door de aanwezigheid van uiteenlopende verlangens, die samen een winst opleveren die de verlangens afzonderlijk niet nastreven. Een geslaagde oikos is niet de optelsom van de afzonderlijke individuele hartstochten die hun doel bereiken. En die gedachte is beslist niet vanzelfsprekend in onze tijd, die voorschrijft dat we moeten doen wat we *echt* willen en aanmoedigt vooral je *passie* te volgen, een tijd ook waarin het in de sport meer om *targets* dan om spel gaat, en niet te vergeten waarin de banksector de eigen bonus nogal eens vóór het beheer van andermans geld laat gaan.

De winst van het toevallige systeem is niet slechts de omzet ervan, maar de zingevende functie die zo'n systeem heeft: met het huishouden ontstaat de sfeer van het thuis-zijn. Het op orde hebben van de economie geeft net als het schoonvegen van je eigen stoep een gevoel van huiselijkheid. Een huiselijkheid die dus feitelijk voortkomt uit hartstochten met uiteenlopende en strijdende doelen. En daarbij moeten we niet alleen denken aan de seksuele behoeften van de Griekse grondeigenaar, maar aan alle hartstochten die voortdurend door de menselijke ziel razen: van de angst voor de dood en de behoefte aan erkenning tot aan het najagen van macht en nageslacht.

De economie als levensvorm, dat illustreert ook 'het gebied aan activiteiten' dat volgens Foucault de oikos het beste omschrijft. 'Deze activiteit houdt verband met een levensstijl en een ethische orde. Als de eigenaar zich naar behoren met zijn landgoed bezighoudt, is zijn bestaan allereerst goed voor hemzelf; in elk geval vormt het een uithoudings-oefening, een fysieke training die goed is voor het lichaam, zijn gezondheid en kracht; ook bevordert het de godsvrucht omdat het in staat stelt de goden kostbare offers te brengen; het moedigt vriendschapsbetrekkingen aan door de gelegenheid te geven zich vrijgevig te betonen, ruimschoots zijn gastvrijheidsplichten te vervullen en zijn liefdadigheid ten opzichte van de burgers te demonstreren. Bovendien is deze activiteit nuttig voor heel de polis, omdat ze bijdraagt aan haar rijkdom en haar vooral goede verdedigers oplevert: de aan zware werkzaamheden ge-wende grondeigenaar is een stoere soldaat en zijn bezittingen hechten aan de bodem van het vaderland, dat hij moedig zal verdedigen.'

Bij een 'gezonde economie' denkt de Nederlandse belastingbetaler van-daag de dag niet in de eerste plaats aan 'een fysieke training die goed is voor het lichaam, zijn gezondheid en kracht', aan kostbare offers voor de goden, noch aan vriendschapsbetrekkingen, liefdadigheid en al hele-maal niet aan stoere soldaten. Bij het gezonder maken van de economie heeft hij het niet over een 'levensstijl en een ethische orde', maar over bankhervormingen, staatsschuldaflossingen, en bezuinigingen op kunst, op ontwikkelingshulp en op stoere soldaten. Bij een polis denkt hij mis-schien aan zijn verzekeringen, maar vast niet aan de gemeenschap van ta-lige wezens die aanspraak maken op de rechtvaardigheid van de gemeen-schap, zoals Aristoteles de polis omschrijft. Onze gemeenschap bestaat uit consumenten, belastingbetalers, verzekerden, pensioen- en uitke-ringsgerechtigden. Het 'gebied van activiteiten' waarmee wij kortom de economie definiëren is een gebied van monetaire activiteiten. Geld en economie duiken zoals gezegd in het dagelijks taalgebruik hoofdzakelijk op als synoniemen. Gaat het economisch goed, dan betekent dat dat je geld hebt, of beter nog, dat je winst groeit.

De sinds de oudheid gestage intrede van geld als betaalmiddel heeft het leven onherroepelijk veranderd – een geschiedenis die zes eeuwen voor Christus begon met een goudsmid uit Sardes die ovalen stukjes elektrum tot munt sloeg en pas veel later de ruilhandel verdreef. Je zou zeggen: wat maakt het nu uit of een economie draait op geld of op een ander middel dat behulpzaam is bij de verdeling van schaarse goederen? In alle gevallen voorziet het systeem haar deelnemers in hun behoeften. En met geld werkt het systeem hooguit anders – een stuk gesmeerder zelfs. Maar de sfeer van de oikos die primair bestaat uit een 'gebied van activiteiten' is existentieel anders dan de sfeer die gewonnen wordt met een volledig gemonetariseerde economie. De winst is anders. Niet een 'levensstijl en een ethische orde' die als vanzelf voortvloeit uit een gebied van activiteiten is de winst, maar een *mogelijke* levensstijl die gekocht kan worden met de winst van alle mogelijke activiteiten.

De zondeval had er heel anders uitgezien als er geen verboden fruit, maar geld aan die boom in de tuin van Eden had gehangen. Want het geld had Eva in staat gesteld om samen met Adam – of misschien zelfs zonder hem, als ze dat had gewild – op zoek te gaan naar een ander paradijs. Ze had zich niet bij haar lot hoeven neerleggen, niet bij de toevallige omstandigheden van de wereld waarin ze werd geworpen, en niet bij haar relatie met Adam. Alles was weer mogelijk.

De potentiële waarde van geld maakt het realistisch te dromen van een andere wereld, maar met de mogelijkheid van een andere wereld verandert meteen de status van de bestaande. Onze 'geworpenheid', zoals Heidegger de menselijke conditie omschrijft, wordt niet langer als noodzakelijk ervaren. Alles wat is, had voor hetzelfde geld niet gehoeven. En dus is thuis misschien ook niet eens het beste thuis dat er te krijgen is. Geld, het middel dat onze verlangens tijdelijk kan opslaan op zoek naar hun beste bestemming, maakt ons hoe dan ook in meer of mindere mate onverschillig voor de wereld waarin we toevallig terecht zijn gekomen. Terwijl de oikos als lusthuishouding het eigenbelang en de toevalligheid weet te benutten als motor van de economie, draagt de monetaire economie het gevaar in zich dat de in het geld gestolde verlangens elders, buiten het eigen huishouden, worden bevredigd of in eigen huis worden verspild. De bedreiging die dat oplevert voor de huiselijkheid van een economie wordt prangend verbeeld in *The Queen of Versailles*, de documentaire van Lauren Greenfield over het leven van de miljardair David Siegel op het moment dat zijn imperium met de kredietcrisis van 2008 ineen dreigt te storten. Siegel, die zijn geld verdient met een bedenkelijke handel in hypotheken op vakantieaccommodaties, is gedwongen de bouw stil te leggen van een woonhuis met de monstrueuze afmeting van 8360 vierkante meter – groter dan het Witte Huis. Op de vraag van Greenfield waarom hij het allergrootste huis van de Verenigde Staten van Amerika wilde laten bouwen, was zijn antwoord: omdat het kon.

'Gewoon omdat het kan' is ook de slogan van mijn bank. Het leven in onze tijd is steeds meer een mogelijkheid geworden. De nieuwgebouwde monsterlijke ruïne van Siegel, betaald met de schulden van de middenstand, weerspiegelt de realiteit van dit *kunnen*. Een huis zou juist een eind moeten maken aan alle mogelijkheden. Want je thuis voelen kan alleen in *deze* wereld, niet in alle mogelijke werelden. Maar Siegel bouwde op een bubbel schulden een immens onbewoonbaar huis.

Dat onze economie vooral steunt op *mogelijke* huishoudens en niet zozeer op de *werkelijkheid* van het bestaande huishouden, zou niet denkbaar zijn zonder de uitvinding en de toepassing van geld. Want door geld heeft de betekenis van 'waarde' zich kunnen verplaatsen van de concrete wereld, opgebouwd uit menselijke activiteiten en onderlinge betrekkingen, naar een mogelijke wereld, geabstraheerd in de munt. En omdat 'mogelijkheden hebben' in onze tijd uitsluitend positieve connotaties heeft, zijn we veelal blind voor de perverterende uitwerking die het *mogelijke* heeft op het al *werkelijke*. In de ogen van het mogelijke is het werkelijke nooit goed genoeg. En zo daalt de waarde van de werkelijkheid, als de waarde van het mogelijke stijgt

Geld is het wonderlijkste middel onder de middelen. En vreemd genoeg komt dat omdat het, in de woorden van de filosoof Georg Simmel, een 'absoluut middel' is. Kenmerkend voor een middel is dat het zichzelf, in zijn bemiddeling tussen mijn verlangen en de realisering ervan in de wereld, zoveel mogelijk probeert op te heffen: hoe onmiddellijker het middel immers werkt, hoe meer het een middel is. En geld, merkt Simmel op, slaagt hier wonderwel in.

In zijn *Philosophie des Geldes* uit 1900 benadert hij de aard van geld vanuit een antropologie van de begeerte. De waarde van ons geld is gekoppeld aan onze begeerte. De begeerte ontstaat simpelweg omdat iets *kan*, maar niet onmiddellijk. Er moet een offer voor worden gebracht. Juist het offer maakt het volgens Simmel begeerlijk en daarmee ook van waarde. Wat we begeren krijgt zo een waarde en wat een waarde heeft begeren we.

Het offer dat we brengen om te krijgen wat we verlangen kan bestaan uit de individuele investering van tijd en moeite, of door iets te ruilen. Volgens Simmel ligt de crux van het geld bij deze ruilverhouding. Op het moment namelijk dat ik mijn eigen verlangen verwezenlijk door met iemand iets te ruilen vergelijk ik mijn verlangen met dat van een ander. En in deze vergelijking van verlangens ontstaat de mogelijkheid voor een objectieve economische waarde. Mijn volstrekt subjectieve verlangen wordt door de vergelijking met een ander subjectief verlangen boven haar eigen subjectiviteit uitgetild.

Economische waarde berust zodoende altijd op een heel netwerk van dingen die alleen vanwege de diverse subjectieve verlangens naar deze afzonderlijke goederen met elkaar verbonden zijn. We zeggen weleens dat de waarde van geld relatief is, en volgens Simmel is dat heel letterlijk zo: de waarde is samengesteld uit een complex netwerk van *relaties* tussen dingen, verbonden door uiteenlopende verlangens. De waarde van het geld loopt zodoende altijd parallel met de waarden in de wereld, ze wordt mogelijk gemaakt door de objectivering van particuliere verlangens, maar nergens staat de waarde van geld in direct verband met de waarde in de wereld.

Het wonderlijke van geld is wat Simmel 'het metafysische wezen van het geld' noemt. Elk specifiek gebruik ervan wordt getranscendeerd. Geld is alleen nog een absoluut middel, een symbool van de economische waarde, maar losgekoppeld van de intrinsieke waarde van de dingen. Deze loskoppeling heeft geleid tot de persoonlijke vrijheid en emancipatie van het individu zoals wij die nu kennen. Waar de mens tot en met de feodale maatschappij altijd in hechte verbanden diende te leven om een huishouden draaiende te houden kon de relatie tussen bijvoorbeeld heren en boeren zakelijker, losser worden. Zij konden hun goederen en diensten elders halen of aanbieden. Een vrijheid die daarmee de privésfeer als nieuwe sfeer kon laten ontstaan – de oikos als gesloten sfeer breekt open! Zowel voor de boer, die met zijn pachtgeld loskomt van de heer, als voor de heer, die met het verworven geld in staat is om op allerlei wijzen buiten zijn huishouden te treden. 'Met het geld dat de boer zijn heer stuurt,' schrijft Defoort hierover in *Het grote geld,* 'kan die een toegangskaartje voor de Parijse opera betalen of een fles van de Cypriotische wijn waarmee zijn buren hun vrienden verbluffen. Aan zijn tafel krijgen gasten niet voortbrengselen van eigen bodem, maar van de hele wereld aangeboden.'

Simmel ziet in 1900 ook al volop de schaduwzijde van de bevrijdende eigenschap van geld. 'Het feit dat steeds meer dingen voor geld zijn te krijgen heeft tot gevolg dat de dingen ten slotte nog enkel gelden als ze geld kosten, en dat de kwalitatieve waarde die we in de dingen ervaren nog enkel een functie van het meer of minder van hun geldprijs lijkt.' Kortom, het abstracte geld heeft de neiging zich steeds onverschilliger te gedragen tegenover de concrete wereld.

Zoals ieder middel heeft ook geld invloed op de wijze waarop het beoogde doel wordt bereikt. Want er is geen middel dat werkelijk onmiddellijk werkt, en zichzelf helemaal ten behoeve van het doel opheft. Geld blijft, in welke vorm dan ook, altijd een middel onder de middelen en daarmee onderdeel van de wereld die we tenslotte nooit helemaal kunnen ontstijgen – alleen in onze gedachten, de geest.

Geld is het meest geslaagde stukje gematerialiseerde geest, maar het blijft materie, zelfs in onze tijd van het virtuele geld, en dus blijft het onderhevig aan de toevallige omstandigheden, aan de oppervlakkigheid van ons bestaan. Goud was lange tijd de grondstof die bij uitstek geschikt was om waarde uit te drukken. En dat kwam door de fysieke eigenschappen van het metaal. Het was hard en toch was het gemakkelijk te smelten en er munt uit te slaan, waardoor het heel geschikt werd als meetbare eenheid. Bovendien gaf de begeerlijke glinstering het materiaal een 'natuurlijke' prijs en juist door deze 'eigen prijs' kon het andere goederen prijzen. Maar evengoed werkten de fysieke eigenschappen ook nadelig voor het goud als middel. Het gewicht en de prijs die het metaal van zichzelf heeft maken het juist tot een hachelijke bemiddelaar bij grote transacties: de handel over grote afstand en modderige wegen maakte de koetsen vol goud tot een gemakkelijk doelwit van struikrovers. De transporten van goud waren zwaar en gevaarlijk, de opslag kostbaar, en het tellen ervan was arbeidsintensief. Het middel ging geld kosten, zodat het aan bemiddelende kwaliteit inboette. En omdat elk middel onmiddellijkheid nastreeft kroop geld in uiteenlopende grondstoffen en veranderde in vele vormen.

De waarde van geld is aan van alles gekoppeld geweest: het eerste geld bestond uit offermuntjes die een hoeveelheid runderen waard waren, goud werd gedekt door goud en lange tijd gold dat ook voor al het papieren geld. En ook grond of huizen kunnen de waarde van geld dekken. De geldwaarde kan immers aan alles worden gekoppeld, zolang we geloven dat de dekking voor de grootste groep mensen van waarde is en bij voorkeur natuurlijk ook een beetje waardevast is.

Maar ook al is geld een symbool, een teken dat bestaat door te verwijzen naar iets anders, de noodzakelijke voorwaarde voor het bestaan van geld als middel zit uiteindelijk niet in het stoffelijke, maar in de relatieve waarde die door onze gezamenlijke begeerten wordt geproduceerd. Geen enkel goed kan onvoorwaardelijk garant staan voor de waarde van ons geld. Onze waarden worden gedragen door een bubbel van verlangens. Het hardnekkige idee dat waarde moet zijn gekoppeld aan een onomstotelijke realiteit, een écht feit, zouden we utopisch realisme kunnen noemen; het idee echter dat waarden ook zonder middelen kunnen bestaan is utopisch idealisme.

In de financiële crisis waarin de economie zich bevindt wanneer ik dit schrijf horen we noodkreten uit beide utopische kampen. De een wil de waarde van het geld weer een op een koppelen aan iets waarvan men denkt dat het waardevast is, zoals goud, de ander wil liever helemaal verlost worden van de grote onbegrijpelijke monetaire systemen en hun ondoorzichtige financiële producten. Deze laatste groep heeft zijn hoop gevestigd op een nieuwe anarchistische stroom in de virtuele wereld. Zoals de Amerikaanse journalist David Wolman, die in zijn boek *The end of money* pleit voor het afschaffen van contant geld. Hij constateert dat het maken van contant geld meer kost dan het waard is. 'Hier in de Verenigde Staten kost het 2,5 cent om 1 cent te maken en er is ongeveer 9 tot 10 cent nodig om een 5 cent-munt te produceren. That is crazy talk,' aldus Wolman in een interview in het vpro-programma *Bureau Buitenland* op Radio 1. En denk ook eens aan de kosten van de verspreiding van het geld en de verliezen door witwassen, belastingontduiking en het tegengaan van deze praktijken. Al met al kost contant geld zo'n 1 procent van het bruto binnenlands product. We doen er daarom beter aan over te gaan op digitaal geld, dat is makkelijker, goedkoper, veiliger, beter controleerbaar en minder milieubelastend.

Suggesties om het nieuwe betalen vorm te geven zijn er volgens de tegenstanders van cash geld volop, zoals een microchip onder je huid of door middel van een vingerafdrukregistratie. De suggesties zijn niet moeilijk te bedenken, want gezien de verdere ontwikkeling van bijvoorbeeld de smartphone en de ov-chipkaart ligt het in de lijn der verwachtingen dat betalen steeds meer langs de digitale weg gaat. De internationale beurs voor consumentenelektronica en gadgets, de CES in Las Vegas, toont ieder jaar weer de nieuwe vergezichten waar de gadgets van Q uit James Bond bij verbleken.

In deze ontwikkeling toont zich opnieuw de dialectiek van het middel, dat in zijn streven naar onmiddellijkheid zichzelf wil opheffen. En er zijn veel omstandigheden en transacties denkbaar die gebaat zijn bij digitale betaling, maar wie denkt dat er een manier is om helemaal aan de bemiddelende traagheid van het middel te ontsnappen komt niet alleen bedrogen uit, maar vormt bovendien een utopisch gevaar voor de bestaande monetaire systemen waarvan we allemaal afhankelijk zijn.

De Nederlandse internetondernemer en journalist Alexander Klöpping droomt tijdens een Radio 1-uitzending in de zomer van 2011 ook even weg in dit fantasma. 'Door internet wordt het opeens mogelijk om mensen onderling te laten handelen in valuta zonder dat overheden dat kunnen controleren. Dat is heel interessant om over na te denken. Vroeger kon dat niet en nu kan dat.' Het gesprek gaat over de bitcoin, een digitale munt die versleuteld in een algoritme rondgaat binnen een besloten ruilsysteem. Gelukkig zit ook de futuroloog Paul Ostendorf in de studio, die op de valse noten in Klöppings toekomstmuziek wijst. Zoals een recente hack van het bitcoinsysteem, waarbij iemand een niet-virtueel vermogen verloor toen een wolk digitale bitcoins werd gestolen op het moment dat de eigenaar ervan die zuurverdiende bitcoins wilde wisselen voor een gangbare valuta – de koers van de bitcoin ging daarmee binnen een uur van 70 dollar naar 1 dollarcent. Want natuurlijk, de lekkers en hackers zijn de struikrovers en piraten van het digitale tijdperk. En buiten deze gevaren houdt ook de virtuele werkelijkheid altijd dezelfde werkelijke ongemakken die niet-virtuele middelen met zich meedragen. Voor al ons digitale verkeer staan bijvoorbeeld overal ter wereld zware servers te brommen en energie te verbruiken. Of neem de zo futuristisch ogende elektronicabeurs in Las Vegas waar de vele digifielen met hun smartphones en tablets massaal het wifi-netwerk van de beurs platlegden. Zoiets zou in James Bond niet gebeuren. Het is een droombeeld dat de virtuele wereld ooit onafhankelijk van de echte oppervlakkige wereld kan bestaan, hoe volhardend de pogingen ook zijn om dit droombeeld hoog te houden. Zoals op Prinsjesdag 2012, toen de minister van Financiën voor het eerst geen papieren miljoenennota in zijn koffertje had, maar een tablet met een digitale editie.

We blijven bemiddelende wezens. En uit het spel met de middelen ontstaan al onze waarden – ook de waarde van het leven zelf. Niet alleen omdat ieder verlangen slechts door *middel* van iets anders kan worden vervuld, maar ook omdat het middel onderdeel is van het verlangen. Net als een deur, die geopend de toegang biedt tot het verlangde, maar doordat hij ook gesloten kan worden, het verlangen in de eerste plaats mogelijk maakt. Zonder deze bemiddelende toegang zou het verlangen er niet zijn en zou er niets van waarde zijn.

Op deze zeepbel drijven onze waarden. Als we de bel doorprikken zijn niet alleen de waarden verdwenen, maar ook de werkelijkheid zelf. Het is een existentieel menselijk tekort dat we nooit stuiten op een echte onmiddellijke realiteit.

Omdat het abstracte geld de neiging heeft zich steeds onverschilliger te gedragen tegenover de concrete wereld, 'gewoon omdat het kan', dwingt de monetaire economie ons steeds meer te leven in een mogelijkheid in plaats van in een werkelijkheid. Zoals ook voetbal steeds meer 'op papier' wordt gespeeld, in plaats van op gras. Dit leven in mogelijkheden wekt de indruk dat alles wat niet is, wel mogelijk is en dus ooit werkelijkheid kan worden. Maar het menselijk tekort aan onmiddellijke realiteit kan nooit worden aangevuld. Hoeveel rekenmodellen we er ook op loslaten.

Een economie die ons voorhoudt dat het wel degelijk tot de mogelijkheden behoort om ooit onze verlangens onmiddellijk te vervullen, ontneemt de mens de zin in het spelen met de middelen, en miskent zijn behoefte aan dingen die hij niet nodig heeft.

Het is niet de vervulling, maar het verlangen zelf dat zin geeft aan het leven. Schijn is onze ware aard.

3

De schijn

Mooie woorden, mooie dingen

Ik was al een paar jaar afgestudeerd, toen ik eind jaren negentig het studentenhuis aan de Albatrosstraat in Utrecht verliet. Ik had er bijna acht jaar gewoond. Met de huur van een etage vlak bij het station leek ik in een andere wereld terechtgekomen. Opnieuw, want het was hetzelfde gevoel van volwassenheid dat ik had gehad toen ik mijn studentenkamer met een inboedel van slechts zestig gulden betrok, alleen dit keer zou het echt zijn, dacht ik. Ik had een eigen inkomen, en hoefde geen douche, keuken of brievenbus meer te delen. En boven alles kon ik me eindelijk mooie spullen veroorloven: een art deco *canapé lit*, bekleed met zwart manchester en groen leer, een theekastje van palissanderhout uit de Haagse school, een buizenbureaustoel met draaizitting en bakelieten armleuningen, een Amerikaans harmonium met ivoren toetsbeleg, glazen plafonnières uit de jaren vijftig, houten klapstoelen uit de jaren zeventig, en een stalen tafel met een blad van donker edelfineer van Ikea. Het echte leven kon beginnen.

Uit deze even banale als wonderlijke passages bestaat een heel leven. We maken ons een voorstelling van de toekomst en we verwachten, zodra we er aankomen, een wereld aan te treffen die echter is dan de vingeroefeningen tot dan toe. En in die waan blijven we tot de volgende passage haar ontmaskert als de zoveelste vingeroefening. Telkens begint alles opnieuw, met de eerste schooldag, de eerste zoen, de eerste studentenkamer, het eerste huis, je eerste vrouw, je eerste kind. En al hebben we de ontgoocheling van het nieuwe al vele malen ervaren, we blijven geloven in deze beloftes van echtheid, van onomstotelijke realiteit. Het is zo'n hardnekkig idee dat we altijd weer versteld staan van het feit dat oude mensen hun ouderdom ook pas voor het eerst meemaken en dat ze uiteindelijk even onervaren zijn met hun eigen dood als diegenen die 'te vroeg' gaan. Niemand, zelfs de oudsten onder ons niet, komt ooit op een punt in zijn leven vanaf waar voorstelling en werkelijkheid samenvallen. Als er iets echt is aan ons leven, dan is het alleen de belofte van echtheid die zich in al het nieuwe blijft aankondigen, als een wijkende horizon. Wat in de mode is gaat voorbij, maar de mode zelf niet.

Op een van de eerste dagen in dit zoveelste nieuwe leven fietste ik 's ochtends van mijn toenmalige vriendin naar mijn eigen etage. Bij het stoplicht halverwege de Catharijnesingel reed ik een tienermeisje op een moeizaam optrekkend scootertje voorbij. Het geluid van een bromvlieg deed er een paar honderd meter over om mij weer te passeren. Ik trapte gedachteloos iets harder en liet me meetrekken in de slipstream en het geluid van de scooter. Er zat een lichte slinger in het achterwiel en de band was niet hard opgepompt, of kon gewoon het gewicht van de dikke puber niet aan.

Met de zelfgenoegzaamheid die vaak komt met de euforie van het nieuwe, taxeerde ik wat er voor me reed. Het was zeker geen uitzonderlijke verschijning. Integendeel, zo zag je ze wel meer. Het meisje reed zonder helm, en droeg een houtje-touwtjejas, die enkele jaren daarvoor hip was geweest onder studenten, alleen dan niet in deze pasteltinten. Daaronder een krappe stonewashed spijkerbroek en vaalwitte platte enkellaarsjes, met bovenaan een smal randje nepbont. Het zal je dochter maar wezen, schoot het door mijn hoofd. Aan het meisje kon ik niets particuliers ontdekken, ze leek alleen te bestaan om het algemene modebeeld van haar klasse te vertegenwoordigen, niet omdat ze er zelf op een of andere manier toe deed.

Misschien kwam het door het monotone gezoem van de scooter of omdat ik ongewoon lang kon blijven kijken, in elk geval raakte ik in een andere gemoedstoestand. Mijn primaire afkeer verdween en maakte plaats voor verwondering. Opnieuw stelde ik me haar als dochter voor, maar nu wilde ik echt weten hoe er van haar gehouden kon worden. Want er werd natuurlijk ook van haar gehouden. Maar hoe kun je iemand liefhebben die in niets van de algemene smaak afwijkt? Als we van iemand houden, doen we dat van iemand in het bijzonder en niet van iemand in het algemeen. Hoe kan het eigen karakter overleven in het slaafse volgen van de mode? Zeker als die mode ons zo weerzinwekkend voorkomt.

Ik bedacht dat deze dochter juist in haar keuze op te gaan in zoiets algemeens als een modebeeld, niet alleen voor haar zelf maar ook voor haar ouders een bestemming kreeg in deze wereld. Hun eigen kleine meid die naakt en nog ongevormd, modeloos zogezegd, in de wereld werd geworpen was met haar scooter en haar houtje-touwtjejas deel geworden van de echte wereld. In die hele grote wereld was ze *iets* geworden.

Gek genoeg hebben we het nodig iets algemeens te zijn, om iemand in het bijzonder te worden. Onze uniciteit wordt alleen zichtbaar als zij in aanraking komt met het algemene, zonder helemaal in dit algemene op te gaan. En dat betekent dus ook dat iedere norm is opgebouwd uit louter afwijkingen van de norm. Iemand zou niet *als* iemand kunnen verschijnen, bijvoorbeeld als een vader, of als een puber, als een gothic, een alto, een nerd, zelfs niet als een gewone jongen als hij niet op een of andere manier afwijkt van het algemene ideaal dat hij voorstelt. We gaan verkleed door het leven. Alleen niet om onszelf te maskeren, maar om onszelf te kunnen laten zien. Dat geldt zelfs voor idolen en trendsetters. Want ook Marilyn Monroe voldeed aan een beeld, een beeld dat we vervolgens met haar zijn gaan identificeren. Marilyn Monroe is steeds meer op Marilyn Monroe gaan lijken. En daarom ook kan het verhaal dat Elvis Presley zelf een keer meedeed aan een Elvis Presley-look-alikewedstrijd en tweede werd, heel goed waar zijn. Zoals de waarde van geld nooit kan samenvallen met een fysieke gouden standaard, al hebben we dat lang gedacht en zijn er nog veel utopisten die zo denken, zo bestaat er geen oorspronkelijk exemplaar van de norm. Geen enkele waarde kan objectief worden vastgelegd, aangezien we nooit op een punt in de werkelijkheid kunnen gaan staan waar we niet ook al onder invloed zijn van de waarden die we zouden willen meten.

Het is zo verschrikkelijk lastig leven naar deze waarheid, dat we voor het gemak ons eigen wereldbeeld als gouden standaard hanteren. En door de aversie tegen een andere sociale klasse zien we dan meestal niet dat wat we zelf als slechte smaak beschouwen de wereld vormt waarin de ander zich juist thuis voelt. Wat we zien als verkeerde keuzes, zijn natuurlijk doorgaans welbewuste keuzes: wat de een als onherbergzaam lelijk ervaart, is voor de ander de zekerheid van een eigen bestaan.

In het essay 'Philosophie der Mode' uit 1905 toont Georg Simmel dat het hier om meer draait dan om de obligate vaststelling dat smaken nu eenmaal verschillen. Mode toont de voortdurende poging van een cultuur om aan de twee tegenstrijdige behoeften van individualiseren en socialiseren tegelijkertijd tegemoet te komen. Net als bij het hand in hand vormen van een kring wordt ook mode gekenmerkt door de dubbelzinnige eigenschap zowel te verzoenen als buiten te sluiten. Met het volgen van een mode sluiten we ons aan bij gelijkgezinden en markeren we de afstand ten opzichte van de andersdenkenden.

Wat dit door en door oppervlakkige en materialistische verschijnsel volgens Simmel duidelijk maakt, is dat nabootsen en afwijken twee strijdige krachten zijn die toch samen de motor vormen van een samenleving. Nabootsing geeft 'het individu de geruststelling in zijn doen en laten niet alleen te staan' en met afwijkend gedrag bevredigt hij zijn behoefte zich als individu te onderscheiden – in tijd (door niet uit de mode te zijn) en ruimte (door zich op de juiste manier in de juiste kringen te bewegen).

De dubbelzinnige aard van mode maakt het mogelijk dat het individu met zoiets algemeens als een trend zichzelf toch een glans van authenticiteit en autonomie geeft. Alsof de kleren die hij draagt op oorspronkelijke wijze bij hem horen en alsof de keuze ervoor volledig zelfstandig tot stand is gekomen. Maar we kiezen natuurlijk uit een bestaand aanbod en committeren ons bovendien aan de gedeelde smaak van de kring waartoe we willen behoren. Wie op de eerste zonnige zaterdagmiddag van het jaar een kwartiertje bij de uitgang van een tuincentrum gaat kijken ziet hoe authentiek onze keuzes zijn.

Mode wordt volgens Simmel dan ook niet zozeer bepaald door een innerlijke behoefte of een eigen smaak, maar vooral door een sociaal strategisch spel. We worden eerder door de mode een persoon, dan dat we de mode volgen die bij onze persoon past. Op het eerste gezicht een onschuldige constatering, maar wie de kwestie afdoet als een klassiek kip-en-eiprobleem mist wat zij aan het licht brengt over de menselijke conditie. Mode is geen kwestie van smaak, opsmuk of decor, mode is een kwestie van bestaan. Je onttrekken aan de macht van de mode gaat niet. Je kunt uit de mode zijn, in de mode zijn, je kunt de mode negeren, maar in alle gevallen verhoudt het individu zich op een of andere wijze tot bestaande modes en daarmee tot bestaande sociale netwerken. Onze persoonlijke identiteit wordt bepaald door algemene trends en is niet te reduceren tot een kern, die 'echt' en onveranderlijk is. Het fenomeen van de mode toont dat *schijn* onze ware aard is.

Simmel wijst erop dat de identiteiten van individuen en groepen in primitieve samenlevingen ook al tot stand kwamen door het uiterlijke spel van nabootsen en afwijken, maar het grote verschil met de rol van mode in onze geïndividualiseerde samenleving is dat het spel vandaag de dag vluchtiger is en ingenieuzer gespeeld dient te worden. De samenleving is informeler, minder hiërarchisch en daardoor ook moeilijker te koppelen aan een uniforme verschijningsvorm. Een goed ontwikkeld modebewustzijn is 'voor de individualistische versplintering van de moderne tijd', volgens Simmel, 'zeer waardevol'. En dat geldt ruim honderd jaar later alleen maar meer. Wie zich gemakkelijk via mode weet te onderscheiden is in staat om binnen de culturele veelzijdigheid van de hedendaagse laat-moderne samenleving toch als individu op te vallen. En bovendien kan hij dan – minstens zo belangrijk – ondanks de individuele versplintering toch aansluiting vinden bij een groter geheel. En in de moderne tijd dienen daartoe ook 'lelijke en onappetijtelijke zaken', schrijft Simmel, 'alsof de mode haar macht juist daardoor wil tonen'. Dan kan zelfs overgewicht of een barrel van een scooter worden aangewend als vermogen je te onderscheiden. Ikzelf rookte in die tijd Gladstone menthol. En al zou ik het toen nooit hebben toegegeven, maar met deze sigaret, die in de ogen van velen was bestemd voor laten we zeggen laaggeschoolde vrouwen van middelbare leeftijd, individualiseerde ik mij ten opzichte van mijn eigen peergroup, en tegelijkertijd sloot de lichtgroene belettering van het pakje aan bij de jarenvijftig-sfeer die de modes van die groep juist kenmerkte.

In de veelgehoorde cultuurpessimistische vermaningen wegens onze koopzucht worden de dingen die ons omringen als inhoudsloze objecten voorgesteld, als het voer voor ons decadente en oneindige verlangen naar meer. En er bestaat natuurlijk een hoop overbodige luxe en verspilling, maar uit schaamte over onze welvaart zien we de belangrijkste betekenis van al die dingen over het hoofd. We drukken ons uit in woorden, maar zeker ook in de dingen. En het meest effectief drukken we ons uit met de dingen die we niet nodig hebben – want met wat iedereen nodig heeft kan niemand zich onderscheiden.

Uit schuldgevoel noemen we onze preoccupatie met de dingen materialistisch, maar we vergeten dat de dingen feitelijk symbolen zijn, ze staan voor iets anders. De betekenis van het ding ligt niet in het ding zelf, en ook zeker niet alleen in de primaire functie ervan, maar in de identiteit die we eraan ontlenen, individueel en sociaal. Daarom kan het verschil tussen een Peugeot en een Citroën zo groot zijn, zelfs nu ze in dezelfde fabriek en aan dezelfde lopende band worden geproduceerd.

De dingen waarmee we ons omringen zeggen meer over onze ziel dan een MRI-scan van ons brein.

Dat geldt al voor kinderen. Het hoeven geen mooie spullen te zijn, als het maar spullen zijn, en daarmee toveren zij de meest ingenieuze werelden tevoorschijn. Een losgeraakt knopje van een op de kermis verkregen speelgoedtelefoon kan gekoesterd worden als de grootste schat en toegang bieden tot een nieuwe fantasie, en voor het kind daarmee tot een nieuwe existentiële sfeer. Het speelgoed is voor een kind wat het icoon is voor de gelovige. En dan zien we dat materialisme niet materie, maar geest als oorsprong heeft.

Als kleuter doen kinderen de ontdekking dat je met de sleutelwoorden 'vriendje' en 'vriendinnetje' sociale verhoudingen naar je hand kunt zetten en macht kunt uitoefenen – 'nou, dan ben je ook mijn vriendje niet meer!' Tegelijk met het zich eigen maken van de notie vriendschap ontstaan ook de eerste gevoeligheden voor mode, voor jongensdingen en meisjesdingen, voor coole dingen en stomme dingen. Het zijn de eerste woordjes van de taal der dingen.

Behalve om kinderen te leren met bezit om te gaan is het geven van cadeaus op de eerste verjaardagspartijtjes ook een oefening om deze taal onder de knie te krijgen. Als mijn kinderen met een uitnodiging voor een verjaarspartijtje thuiskomen, komt er steevast de volgende ochtend op het schoolplein een moeder op me af die geld inzamelt voor een gezamenlijk cadeau. Ik geef toe dat ik er uit gemak ook weleens aan meedoe, maar eigenlijk vind ik het een slechte gewoonte. De belangrijkste reden die de moeders aanvoeren om het zo te doen is dat de jarige dan niet heel veel goedkope troep, maar één mooi duur cadeau kan krijgen. Maar wat missen de kinderen allemaal als een cadeau ingepakt en wel als een deus ex machina door een moeder op tafel wordt gezet? Het hele gedoe rond het geven: het leren kiezen uit het gigantische aanbod van de plaatselijke Blokker, het zich verplaatsen in de ontvanger, de eigen afgunst omdat het eigenlijk te mooi is om weg te geven, de teleurstelling omdat de jarige job het cadeau al heeft, er niet naar omkijkt of er per ongeluk bovenop gaat zitten. Wie van dit gedoe rond de dingen afziet, reduceert de waarde van de dingen tot het object zelf, terwijl ze hun waarde krijgen uit de rol die ze spelen in het sociale verkeer.

Terwijl de moeders verspilling willen tegengaan met één groot nuttig cadeau leggen ze onbedoeld de kiem voor een geestdodend materialisme, waar het ding alleen telt als het nut heeft. Dit materialisme miskent de behoefte aan dingen die we niet nodig hebben en promoveert 'nut' tot het enige criterium voor het menselijk handelen. En daarmee verliest het bestaan haar zin. Want zouden we de logica van het nut strikt volgen, dan ontdekken we dat ons leven zelf volstrekt nutteloos is. We zien dat de met geld en grondstoffen gooiende materialist uiteindelijk met hetzelfde nutsreductionisme leeft als de idealist die het leven pas de moeite waard vindt als de verspilling tot nul is gereduceerd: de materialist wil altijd meer omdat hij het gevoel van zinloosheid opvat als een ongemak dat met nuttige dingen kan worden weggenomen – maar het scheept hem natuurlijk alleen maar op met 'een wereld van prothesen', zoals de Russische filmmaker en essayist Andrei Tarkovski deze 'welvaart' omschreef – en de idealist wil steeds minder en wordt pas rustig als *alles* nut heeft.

'Voor zover de waar gebruikswaarde is, is er niets geheimzinnigs aan,' constateert Karl Marx in *Het Kapitaal*. Maar kijken we wat beter naar de door de mens geproduceerde dingen, schrijft hij, dan blijkt de waar 'bijzonder complex te zijn, vol met metafysische spitsvondigheden en theologische grillen'. Zodra we van hout een tafel maken, wordt het stuk hout nuttig voor ons, maar pas zodra hij als gewild object verschijnt 'verandert hij in een ding dat zowel zinnelijk als bovenzinnelijk is. Hij staat dan niet meer met zijn poten op de grond, maar gaat tegenover alle andere waren op zijn kop staan; zijn houten kop brengt grillen voort, die nog meer opzien baren dan wanneer hij uit zichzelf begon te dansen.' De magie van de geproduceerde dingen is volgens Marx niet te verklaren uit de fysieke dingen zelf, maar komt voort uit de projectie van de menselijke geest.

'Het is uitsluitend de bepaalde maatschappelijke verhouding van de mensen zelf, die voor hen de fantasmagorische vorm van een verhouding tussen dingen aanneemt. Willen we een analogie hiervoor vinden, dan moeten we vluchten in het schimmenrijk van de religieuze wereld.' Ook de producten die met mensenhanden zijn gefabriceerd raken als schimmen 'begiftigd met een eigen leven', volgens Marx. Fetisjisme noemt hij dat.

Marx constateert dat de neiging om de dingen te fetisjeren tot een vervreemding van de mens van zijn wereld leidt. Terwijl de waarde van de dingen niet uitsluitend in het fysieke object ligt, maar daarachter in een 'bepaalde maatschappelijke verhouding van de mensen zelf', vereenzelvigen we ons altijd in meer of mindere mate met het enige tastbare en zichtbare bewijs voor deze maatschappelijke verhouding. In onze kijk op de dingen is daarom enige vervreemding onontkoombaar volgens Marx, maar het gaat in zijn ogen pas mis als we dit fetisjkarakter van de dingen uit het oog verliezen, en de dingen zelf gaan vereren.

Onze wereld is er een van voorstellingen, die we niet moeten aanzien voor de echte wereld, en ook de echte wereld krijgen we nooit te zien. Toen ik Utrecht verliet om te gaan samenwonen op de eerste verdieping van een negentiende-eeuws pand in het centrum van Groningen had ik in de onttakelde Utrechtse woning weer hetzelfde gevoel als wat me een paar jaar daarvoor had bekropen toen ik mijn studentenkamer leeghaalde. De kale wanden met de witte kitplekken waar de schroefjes hadden gezeten toonden mijn zoveelste zelfbedrog. Weer een paar jaar in de waan van de echte wereld geleefd. Maar nog diezelfde middag, toen ik met de eerste spullen de voordeur met het jugendstil gietijzerwerk binnenging, waande ik me alweer in de echte wereld.

Het leven voltrekt zich over het dunne lijntje tussen hoe het zit en hoe het schijnt te zijn. Nooit gaan we op in louter schijn en nooit stuiten we eens op iets wat altijd blijft zoals het is. Net als in de mode is ook onze voorstelling van de wereld altijd onderweg naar een volgende voorstelling. Of het nu een wetenschappelijke, religieuze of alledaagse voorstelling betreft, iedere voorstelling staat net als de mode onder invloed van een veronderstelde algemene voorstelling van de wereld.

'De vraag van de mode is niet zijn of niet-zijn,' volgens Simmel, 'maar juist een gelijktijdig zijn en niet-zijn.' Want de mode wordt altijd maar door een klein select gezelschap voorlopers gedragen, terwijl de massa als geheel 'op weg is naar deze modus'. En zodra de mode daadwerkelijk tot de massa is doorgedrongen 'dan noemen we het geen mode meer'. Elke mode streeft naar haar eigen einde, 'omdat in haar succes het onderscheidend vermogen verloren gaat'.

De dialectiek van de mode verloopt volgens hetzelfde patroon als de schaamte, die ons ook dwingt ons anders voor te doen. Zonder dat je ooit absoluut overzicht hebt over wat in of uit de mode is, kleed je je naar de voorlopige voorstelling die je je ervan hebt gemaakt. En of we nu een volger, een voorloper, een breker of een onverschillige willen zijn, in alle gevallen koersen we op het kompas van de schaamte, de schaamte over ons gemankeerde weten. Juist omdat schaamte niet alleen de angst is om het verkeerd te doen, maar ook een verontschuldiging, in de vorm van specifiek hulpeloos gedrag. En rondom deze verontschuldiging vormt zich tenslotte de complete sociale sfeer. In de verontschuldiging dat ik me niet helemaal gedraag volgens de bestaande norm bevestig ik immers wel het bestaan van een norm. En zo gedragen we ons naar normen die we objectief gezien nooit kunnen kennen. Mode en eigenlijk het hele menselijke sociaal verkeer worden gedragen door deze bubbel.

Simmel wees erop dat het informeler en individueler worden van de samenleving veel van ons modebewustzijn vraagt. We staan meer op gelijke voet met elkaar waardoor we gedwongen zijn de verschillen in kleinere details te zoeken. En wie erop let, ziet dat hij zelf ook dagelijks in staat blijkt verschillende genres en modes zo te combineren dat hij in vele uiteenlopende situaties niet *underdressed* of *overdressed* is. Zo variëren we voor alle zekerheid op het veronderstelde modebeeld, waarmee we het bestaan van een norm bevestigen, en deze tegelijkertijd door de kleine bedoelde en onbedoelde afwijkingen van vorm veranderen.

In de keuzes van onze uiterlijke verschijningen willen we niet graag overkomen als een kritiekloos individu dat gedachteloos de mode, laat staan domweg de reclame volgt. Maar zoals ons wereldbeeld ook nooit helemaal losstaat van de laatste mode, zo gaan mode en reclame natuurlijk ook op diffuse wijze in elkaar over. Al wordt op televisie en in de bladen met reclameblokken en advertentiepagina's nog zo helder het onderscheid gemaakt tussen de echte wereld en die van de schijn van de reclame, toch worden onze echte verlangens natuurlijk grotendeels gemaakt op de tekentafels van de reclamebureaus. Door het hardnekkige geloof in onze eigen autonomie en authenticiteit stellen we reclame vaak voor als een neutraal middel dat een product onder de aandacht brengt en waar we vervolgens vrijblijvend en rationeel over besluiten of we het nodig hebben. Maar zoals Sedláček al schrijft in *De economie van goed en kwaad* wekt de slang bij Eva een verlangen op 'dat zij daarvoor niet had, en een verlangen voor dingen die zij helemaal niet *nodig* had'. De reclame heeft de consument nodig, maar de consument ook de reclame – om hem te vertellen wat hij wil hebben.' We hebben niet alleen behoefte aan wat de reclame ons wil verkopen, we hebben zogezegd ook behoefte aan de reclame zelf. Omdat reclame net als mode richting geeft aan onze onbepaalde verlangens.

Wat dit betreft houdt de succesvolle Amerikaanse televisieserie *Mad Men* deze tijd een ontluisterende spiegel voor. In ons land werd het succes van de serie over een reclamebureau op Madison Avenue in New York vaak verklaard door de zowel treffende als nostalgische wijze waarop de jaren vijftig en zestig erin worden verbeeld. Zo schreef bijvoorbeeld Femke Halsema naar aanleiding van het vierde seizoen in 2011 in *de Volkskrant:* 'De makers laten ons onze geschiedenis zien, als antropologen die een inheemse stam tentoonstellen. Of het nu de tv-spotjes zijn waarin artsen sigaretten aanprijzen, het seksisme, het racisme en de homofobie, de huisvrouwendepressies of het slaan van kinderen; na elke aflevering kun je gerustgesteld vaststellen dat het sinds de jaren vijftig allemaal veel beter is geworden. Het is zelf-feliciterende tv: "Jongens, jongens, wat zijn we beschaafd en redelijk geworden".'

Maar *Mad Men*, met het hoofdpersonage Don Draper, de geniale *creative director* van het bureau, toont ons geen voorbije geschiedenis. Het toont de vliegende start van een tijd waar we nu tot over onze oren in zitten. Een tijd waarin sociale wetenschappen, reclame en massamedia de voorstellingen produceren voor de norm waarnaar een samenleving voortdurend op zoek is. De serie is verre van zelf-feliciterend. Het is een subtiele zelfkritiek via de onschuldig ogende esthetiek, die doet denken aan de tabak- en alcoholadvertenties zoals ze destijds in *Life Magazine* hebben gestaan. En juist de schijnbaar onschuldige helderheid van dit beeld spiegelt zo effectief omdat het alle onderdelen van de hedendaagse mediacratie toont op het moment dat het nog middelen lijken die we desgewenst aan en uit kunnen zetten – zo zien we het opstarten van de afdeling Broadcasting, met één medewerker en een klein zwart-wittelevisietje met antenne. Inmiddels weten we dat niemand nog gelooft dat er een aan- en uitknop bestaat voor ons realtimetijdperk, met het wereldwijde internet, een tablet op ieders schoot en een statistiek voor de geringste menselijke beweging.

Don Draper is weliswaar jong en succesvol, maar toch een man van de oude stempel die zijn neus ophaalt voor de nieuwe sociaal-wetenschappelijke benadering van reclame. 'Ik doe mijn eigen onderzoek,' zegt hij tegen een gepromoveerde psychologe die een onderzoek presenteert naar consumentenvertrouwen. Het rapport verdwijnt voor haar ogen in de prullenbak. Hij ziet meer heil in creativiteit dan in consumentenonderzoek. 'Je kunt niet voorspellen hoe mensen zich gaan gedragen, je kunt ze wel voorhouden hoe ze zich moeten gedragen.' Enquêtes vragen of naar de bekende weg, of naar zaken die helemaal niet objectief zijn waar te nemen. 'Mensen willen zo graag horen wat ze moeten doen dat ze bereid zijn naar iedereen te luisteren.'

Als Draper tijdens een afspraakje een directrice van een groot warenhuis als klant en als minnares probeert in te palmen vraagt hij met de hem kenmerkende vleiende botheid waarom zo'n knappe vrouw als zij nog altijd niet getrouwd is. Ze antwoordt dat ze nog geen echte liefde heeft gekend. 'O, je bedoelt *liefde*,' glimlacht Draper ironisch, 'je bedoelt een pijl door het hart? Het gevoel waardoor je niet meer kunt eten, niet meer kunt werken en je alles achter je laat om te trouwen en kindjes te krijgen? De reden waarom je dit gevoel niet kent, is omdat het niet bestaat. Wat jij liefde noemt is verzonnen door jongens zoals ik, om panty's te kunnen verkopen.' De vrouw neemt een trekje van haar sigaret en probeert nog onderkoeld over te komen – 'Hm, is dat zo?' Maar Draper zelf en de kijker weten dat de reclameman met zijn woorden opnieuw een hart heeft veroverd. '*I'm pretty sure about this...* Je komt alleen en je gaat alleen in deze wereld. In de tussentijd word je overspoeld door een heleboel regeltjes die je dit simpele feit moeten doen vergeten. Maar ik ben het nooit vergeten.'

De wereld als een verzameling harde feiten of als een geconstrueerde fictie, een meetbaar ding of een eigen schepping. De controverse tussen deze twee manieren om tegen de dingen aan te kijken is het onnadrukkelijke grote thema van *Mad Men* – verstand versus verbeelding. Als British American Tobacco onder grote druk komt te staan door de eerste wetenschappelijke onderzoeken naar de gezondheidsrisico's van het roken schuift Draper alle adviezen van consumentenonderzoekers en strategen aan de kant die proberen om er met argumenten toch nog een gezonde draai aan te geven. Tijdens de pitch om de Lucky Strike-campagne binnen te halen, overtuigt hij door een plotselinge ingeving: '*Advertising is based on one thing: happiness. And you know what happiness is? Happiness is the smell of a new car; it's freedom of fear; it's a billboard on the side of the road that screams with reassurance that whatever you are doing is okay. You are okay.*' Elke poging om de sigaret op een of andere manier gezonder te laten lijken dan hij is, zal het genotmiddel toch altijd alleen maar in verband brengen met kanker, aldus Draper. Dan schrijft hij met een krijtje op het bord achter hem (de flip-over bestond nog niet): 'Lucky Strike – it's toasted.' De campagne is binnen.

Al doen de krantenkoppen misschien anders vermoeden, ook onze economie is een woordenspel. 'Vertrouwen consument weer fors gedaald', kopt NRC *Handelsblad* op vrijdag 21 december 2012. De harde feiten komen van het Centraal Bureau voor de Statistiek, dat constateert dat de 'consument zeer pessimistisch' is. Het bericht geeft gelukkig inzicht in de wijze waarop de harde feiten zijn 'ontdekt'. Iedere maand meet het bureau het consumentenvertrouwen door consumenten te bellen met de vraag of het nu 'een gunstige tijd is voor grote aankopen'. Don Draper zou zeggen: 'Mensen willen zo graag horen wat ze moeten doen dat ze bereid zijn naar iedereen te luisteren.' Ook naar de retorische vragen van de enquêteur die 's avonds net na het achtuurjournaal met sombere economische berichten aan de telefoon is. Vervolgens is het voorpaginanieuws en is inderdaad iedere 'consument zeer pessimistisch'.

Het op het verkeerde moment uitspreken van het verkeerde woord kan in de economie onherstelbare schade aanrichten. Winstwaarschuwing, default, junk, schuldenlast, statusverlaging, koersdaling, rentestijging, schuldplafond, belastinggeld, staatsschuld en begrotingstekort. Het zijn deze en andere woorden die harde munten kunnen kraken. En sommige woorden mogen helemaal niet uitgesproken worden. Jeroen Wester schrijft in NRC *Handelsblad* bijvoorbeeld over het taboe op het woord 'kwijtschelden' – van schulden aan landen als Griekenland. 'Wel mag gesproken worden van "herprofilering" of het "doorrollen" van leningen en andere eufemismen.' Door het woord kwijtschelden te gebruiken bestaat het gevaar dat kredietbeoordelaars menen dat Griekenland niet in staat is zelf haar schulden te betalen, en dan ben je met andere woorden failliet – een woord met keiharde gevolgen. Het is net mode, het gaat om de details.

In dit delicate woordenspel verruilde in 2011 de toenmalige minister van Financiën Jan Kees de Jager het bijvoeglijk naamwoord 'vrijwillig' voor het bijvoeglijke 'verplicht'. Hij duidde op de deelname van banken ter voorkoming van een faillissement van Griekenland. Maar met deze woordkeuze lag een faillissement juist meteen op de loer: het impliceerde namelijk dat Griekenland onder curatele staat. En waar een curator is, is een faillissement. En dus volgde er veel verontwaardiging. Bij zijn Europese collega's en bij onze eigen parlementariërs. PvdA-Kamerlid Ronald Plasterk pleitte 'voor meer terughoudendheid. De minister moet eerst binnen Europa tot overeenstemming komen en verder zijn snavel houden.' Maar zodra woorden zijn gevallen, kunnen ze alleen met andere woorden worden teruggedraaid. En dus probeerde De Jager de formule: 'Het kan nog steeds wel dat banken zelf besluiten mee te werken. Dat is de definitie van vrijwilligheid, zoals wij die in de verklaring van de eurogroep hebben bedoeld.' Het is dezelfde 'vrijwilligheid' waarmee ik mijn mopperende kinderen 's ochtends de gelegenheid gun zelf onder de douche te stappen. Ze mogen er vrijwillig onder gaan, maar als ze dat niet doen dan zet ik ze eronder. Kortom, De Jagers woorden maakten het alleen maar erger. In deze context betekent vrijwillig hoe dan ook verplicht. De Europese ministers waren terug bij af. Ze moesten op zoek naar nieuwe woorden om de kredietbeoordelaars tevreden te stellen.

Er zijn trends in de mode, en trends op de beurs, trends in de wetenschap, en er is ook altijd propaganda, zelfs in de meest democratische politiek, want de wereld bestaat nu eenmaal niet alleen uit natuurwetenschappelijke feiten. Het is nog sterker, zegt Simmel in zijn *Philosophie des Geldes*, namelijk dat de voorstelling die we van alle dingen in de wereld hebben 'in haar diepste wezen geen eenheid, maar een onderscheid is: de rangorde naar waarden'.

De wereld is naast een natuurwetenschappelijk verschijnsel ook een waardenbubbel die alleen maar in de lucht blijft hangen door de vergelijking van onze verlangens, van wat we de moeite waard vinden. Dit levert een ongemakkelijk waardenrelativisme op, waarin alles schijn lijkt. Uit angst dat onze voorstelling van de wereld op een grote leugen berust zoeken we naarstig naar echte aanknopingspunten en zetten onderzoeksbureaus in die alles kunnen meten.

Hetzelfde op een andere manier zeggen, dat wordt de politiek nogal eens verweten. Het is zelfs een van de betekenissen van het woord 'politiek' geworden – een politiek spelletje spelen, bijvoorbeeld.

Politici praten veel. Ze zeggen bijvoorbeeld dat een kleiner parlement 'daadkrachtiger' kan optreden. Critici gebruiken andere woorden en noemen het 'een ordinaire bezuiniging'. Maar wie misleidt nu wie? In het eerdergenoemde artikel van Jeroen Wester heeft de journalist het ook over eufemismen, bij woorden als 'herprofilering' of 'doorrollen'. En wie eufemisme zegt, bedoelt dat iemand iets vriendelijker voorstelt dan het in het *echt* is. Maar wat is hier echt en wat is niet-echt? Neem Marcel Oosten, de presentator van het *Radio 1 Journaal* die in de zomer van 2011 in een interview met een econoom vroeg of 'op het ogenblik de politiek de economie niet in de weg zit'. Economisch gezien zijn de problemen met de euro toch op te lossen, maar die politici, 'ze praten er alleen te lang over'.

'Het geprat is niet onschuldig,' schrijft filosoof Luuk van Middelaar over het werk van politici, in *De passage naar Europa* (2009). Met instemming citeert hij Michel Foucault: 'Het vertoog is niet simpelweg een weerslag van machtsconflicten en machtssystemen, het is datgene waarvoor men, datgene waarmee men strijdt, de macht die men zich eigen wil maken.' En Van Middelaar laat als een hedendaagse Foucault zien hoe de geschiedenis van Europa in de eerste plaats een woordenstrijd is met *echte* gevolgen. De Europese politiek ligt niet in het feitelijke Brussel, maar in de woorden waarin de Europese belangen worden uitgevochten. En om hier iets van te kunnen begrijpen pleit hij voor 'zo goed mogelijk lezen' en 'de elkaar bestrijdende politieke woorden en vertogen in kaart brengen, kijken naar gebruik en context, zwakte en kracht'. Alleen zo, schrijft Van Middelaar, wapenen we ons 'tegen de naïeve gedachte dat politieke woorden verwijzen naar een los van hen staande werkelijkheid.'

Foucault illustreert de macht van de woorden aan de hand van één zinnetje van de in Brussel opererende schilder René Magritte: 'Ceci n'est pas une pipe.' Het stond geschreven onder een realistisch geschilderde pijp. Het lijkt een flauwe grap, een pijp schilderen en eronder schrijven dat het geen pijp is, maar als je er even bij stilstaat, stapelt de ene vraag zich op de andere. Wat bedoelt de vraag? Dat de pijp die we zien geen echte pijp is? Misschien? Het klopt immers dat het een *afbeelding* van een pijp is, geen echte pijp. Maar als de afbeelding van de pijp geen echte pijp is, en verwijst naar een echte pijp, hoe weten we dan zo zeker dat de woorden alleen naar die afgebeelde pijp verwijzen? En niet bijvoorbeeld naar het hele schilderij, of naar alleen de zin 'Dit is geen pijp' of zelfs alleen naar 'Dit'? Hoe weten we dat woorden op dingen slaan? Dat is het grote probleem dat dit werk van Magritte volgens Foucault toont. Er bestaat een onoverbrugbare ruimte tussen de woorden en de dingen. Om ze toch dichter bij elkaar te laten komen zijn we gedwongen 'dezelfde' dingen steeds anders te zeggen.

Harder dan dat wordt geen enkele wetenschap die zich over het menselijke huishouden buigt. Ook de vraag of de euro het gaat redden is geen *rocket science*. Het is zelfs geen economische, maar een politieke vraag. Want van de politiek is het tenslotte afhankelijk of de woorden 'Dit is geen munt' economische betekenis krijgen.

In een column getiteld 'Ja, lach die economen maar uit' beklaagt Marike Stellinga, economieredacteur van NRC *Handelsblad*, zich erover dat het sinds de kredietcrisis van 2008 een geliefde hobby is geworden economen uit te lachen 'om hun zielige wetenschap'. Economen zouden de crisis niet hebben zien aankomen en verschillen bovendien altijd van mening. 'Aan grapjes over economen geen gebrek,' schrijft Stellinga en ze citeert Winston Churchill: 'Als je twee economen in een kamer zet, krijg je twee meningen. Behalve als een van hen Lord Keynes is, in dat geval krijg je er drie.' Stellinga neemt het op voor de economie als wetenschap, niet alleen omdat verschil van mening een gezond onderdeel van iedere wetenschap is, maar ook omdat ze voldoende economen kan noemen die niet alleen met cijfers en voorspellingen goochelen.

Dat dit beeld van economen in de publieke opinie is ontstaan is deels te wijten aan onze markteconomie, die zwaar leunt op de ondoorgrondelijke financiële producten en eindeloze reeksen cijfers van het bancaire systeem, maar zeker ook omdat in een financiële crisis noodzakelijk alle ogen zijn gericht op het zogenaamde huishoudboekje, de inkomsten en de uitgaven. Ten onrechte zijn we daarom economie gaan vereenzelvigen met winstmaximalisaties en winstwaarschuwingen, met stagnerende groei, staatsschuld, koopkracht, rente, kortom met de cijfers van het huishouden.

Stellinga, zelf overigens beslist geen cijferfetisjist, waarschuwt terecht voor het gevaar van het eenzijdige econoompje pesten. 'Het punt is dat je wat mist als je economen niet meer serieus neemt. Want de goeden werpen aan de lopende band interessante hypotheses op over hoe we de wereld kunnen begrijpen.'

Zo is het. Er zijn economen met de genialiteit van Don Draper, die hun verbeelding gebruiken om er iets van te maken. 'Je kunt niet voorspellen hoe mensen zich gaan gedragen, je kunt ze wel voorhouden hoe ze zich moeten gedragen.' Maar economie wordt ten onrechte vaker gezien als een voorspellende wetenschap, die het vooral moet hebben van de 'harde cijfers' van de statistieken, en van slimme berekeningen. Dit beeld van de economie moet niet allemaal op rekening van de economen komen. Het komt vooral voort uit de wens van de moderniteit om de wereld eens en voor altijd volledig te begrijpen, en die wens heeft zich in ieder van ons genesteld. De wereld als een vast gegeven dat alleen nog ontdekt moet worden, om daarna zonder twijfel te kunnen handelen en beslissen. Volgens Stellinga leveren economen uiteenlopende hypotheses om de wereld te begrijpen. Beter zou ze ze misschien verhalen kunnen noemen, of ontwerpen. Geen hypotheses die ooit blijken te kloppen, maar ontwerpen waar we de wereld in kunnen vormgeven.

Economen bieden met hun modellen niet alleen een instrument om te overleven, zoals modeontwerpers ook geen kleren maken tegen de kou. Modeontwerpers en economen produceren ontwerpen die het idee staande kunnen houden dat we in een coherente wereld leven. Daarom ook spreken de economen elkaar zo vaak tegen, niet omdat ze er allemaal naast zitten (dan zou er een onwrikbare waarheid moeten bestaan, waar je *naast* kunt zitten), maar omdat het allemaal ontwerpers zijn die een eigen wereldbeeld proberen te vormen uit een heleboel variabelen, oneindig veel variabelen om precies te zijn.

De economie zou erbij gebaat zijn dat we niet in haar geloven alsof het om meetbare feiten gaat, die zonder politieke en maatschappelijke verhalen bestaan. We moeten niet denken dat zodra we arriveren in de toekomst die economen ons hebben voorgesteld, we daar een wereld aantreffen die echter is dan de vingeroefeningen tot dan toe.

In een van de eerste afleveringen van *Mad Men* raakt Don Draper verzeild in een discussie met de marxistische hippievrienden van zijn minnares. 'Liefde is zó *bourgeois,*' begint een van hen stoned. 'Kijk jezelf eens tevreden zijn. Je bedenkt slogans voor schoonmaakmiddelen en denkt dat je vrij bent.'

'Hou toch op. Maak iets van jezelf,' zegt Draper terwijl hij in zijn lange kasjmieren jas glijdt.

'*Like you?*' reageert een ander ironisch. 'Jij maakt de leugen. Jij creëert de vraag...'

Draper zet zijn gleufhoed op. 'Ik moet je teleurstellen. Er is geen grote leugen. Er is geen systeem. Het universum is onverschillig.'

4

Het werk

Passie, het nieuwe hobby

Op de middelbare school, eind jaren tachtig, kregen we uiteenlopende adviezen over een mogelijke vervolgopleiding. Op de reeks tegenstrijdige adviezen volgde steevast de afsluiting: 'Als je maar doet wat je écht wilt.'

Daar zit je dan als zwabberende puber. 'Doen wat je wilt' klinkt heel vrij en ongedwongen, maar wat nu als je niet weet wat je wilt? Ik had dat probleem overigens niet, want ik wist wel wat ik wilde. Ik had een ander probleem, mijn lichaam wilde iets anders.

Ik stond net ingeschreven voor een studie bewegingswetenschappen aan de Vrije Universiteit van Amsterdam toen ik aan een zware hard-looptraining een branderig gevoel in mijn achillespezen overhield. Met deze blessure kwam een einde aan een tamelijk serieuze sportperiode in mijn leven, waarin ik alles opzijzette voor een carrière in de triatlon – ik spijbelde zelfs om meer te kunnen trainen. Maar van de ene op de andere dag kon ik geen enkele sport meer beoefenen. Er werd me van alle kanten aangepraat dat ik in een depressie zou geraken als ik niet snel een andere hobby vond. En dus kocht ik een gitaar, een pakje shag, en liet ik mijn gemillimeterde sportkapsel groeien tot op mijn schouders. De nieuwe identiteit verschafte me blijkbaar voldoende levenslust, want de dip bleef uit, maar bewegingswetenschappen studeren als je zelf nauwelijks kunt bewegen vond ik geen fijn vooruitzicht. Ik schreef me daarom, geheel in overeenstemming met mijn nieuwe levensstijl, in voor filosofie. Zo begon ik in 1991 met kapotte hielen en een heel vage notie van het vak, aan een studie wijsbegeerte in Amsterdam.

Achteraf zou ik niet willen dat het anders was gegaan, maar om nou te zeggen dat ik heb gedaan wat ik wilde lijkt me ook niet juist. Het overkwam me meer. En gelukkig maar, want het opvoeddogma dat voorschrijft dat je moet doen wat je wilt is zoals gezegd minder vrijblijvend dan het klinkt. Het betekent vooral dat je je suf moet zoeken naar wie je bent. Want als je weet wie je bent, zou je ook weten wat je wilt. En deze mode van zelfverwezenlijking heeft de afgelopen twintig jaar helaas alleen maar aan populariteit gewonnen. Het onderwijs staat er bol van. Vanaf de basisschool tot aan de laatste nascholing dien je via reflectieverslagen en zelfwerkzaamheid te achterhalen wie je bent en wat je kunt, of zoals dat eigentijdser heet, wat je 'competenties' zijn. Want wie weet wat z'n competenties zijn, weet wat-ie wil.

Achter dit idee gaat de misleidende vooronderstelling schuil dat we ons 'zelf' en wat het wil los van de toevallige omstandigheden in kaart kunnen brengen. Onze wil wordt voorgesteld als een willen van iets wat als een kop koffie voorhanden is. Iets wat we met meer of minder wilskracht kunnen bereiken.

Maar wat willen we eigenlijk als we iets willen? In beginsel niet iets. De wil is er al voordat we *iets* willen. Dat we nooit zonder wil in de wereld staan, voelen we het meest als we ons vervelen. Er is niets waar we zin in hebben, maar we willen heel graag iets om zin in te hebben. Volgens Arthur Schopenhauer (1788-1860), 'de filosoof van de wil', houdt het verlangen ons voor de gek: in de voorwerpen en voorstellingen die langskomen projecteren we onze ongerichte wil om vervolgens deze zaken zelf als de oorzaak van ons verlangen te houden.

De hedendaagse opdracht om jezelf te kennen opdat je weet wat je wilt gaat voorbij aan deze werking van het verlangen. Wie zich de vraag stelt wat hij nu écht wil, stelt de wereld voor als een geordend geheel, als een etalage vol met waren die onze verlangens kunnen bevredigen. Maar de wereld biedt zich helemaal niet aan als een geheel, maar als een onoverzichtelijk en diffuus iets, waar wij zelf telkens opnieuw een voorlopige vorm of zin aan geven. Meer dan op een overzichtelijke etalage lijkt de wereld op een dansvloer die ons weliswaar uitdaagt hem te betreden, maar ook afschrikt door de vele en vooral voortdurend wisselende aanknopingspunten. Er zijn talloze manieren om de vloer te betreden, maar zelden zijn de aanknopingspunten eenduidig, en overzichtelijk wordt het nooit.

Desondanks moedigt de hedendaagse loopbaanadviseur zijn cliënten op hun zelfqueeste juist aan te 'concretiseren' en te 'visualiseren'. Hij vraagt de vertwijfelde zoeker 'waar hij wil zijn over vijf of tien jaar', alsof hij hem vraagt wat hij wil eten. En hij verklaart diens vertwijfeling en de toename van het aantal burn-outs met de cultuurdiagnose dat er vandaag de dag wel érg veel op het menu staat. Zo beweerde de Amerikaanse psycholoog Barry Schwartz in *The Paradox of Choice. Why More is Less* uit 2004 dat 'de toegenomen hoeveelheid keuzes juist bijdraagt aan de recente epidemie van de klinische depressie die het grootste deel van de westerse wereld heeft besmet'.

Vroeger was het eenvoudig, beweert ook de Nederlandse Nienke Wijnants, psycholoog, loopbaanadviseur en auteur van de bestseller *Het dertigersdilemma* uit 2008, 'op tv keek je naar Nederland 1 of 2, op het strand kreeg je een Raket of een Cornetto en je ouders bepaalden (meestal) wat je aanhad'. Maar de 'meerkeuzemaatschappij' zou ons nu continu dwingen uit een eindeloze hoeveelheid mogelijkheden te kiezen. En 'het continu moeten kiezen kan leiden tot een hoop stress'.

Bij het lezen van zo'n zin krijg je het al bijna benauwd en neem je je stellig voor om het ook eens wat rustiger aan te gaan doen. En door het aangewakkerde verlangen naar eenvoud met het onweerstaanbare beeld van Raketten en Cornetto's twijfelen we geen moment aan de algemene verklaring van de toename van burn-outs (volgens het CBS van elf procent van de totale beroepsbevolking in 2007 naar dertien procent in 2010): de stress en crises, van midlife- tot en met de zogenaamde quarterlifecrisis, alles lijkt terug te voeren op het probleem van een te grote keuze.

Maar het is pure nostalgie om te denken dat een mens ooit de wereld als overzichtelijk heeft ervaren. Ver voor de tijd van de burn-outs schoot de mens bijvoorbeeld op grote schaal in de stress van het hellevuur. Nog eerder vergeleek Heraclitus (500 v.Chr.) de wereld met een stromende rivier, die al bij het betreden ervan niet meer dezelfde was. En ruim honderd jaar voor de Raketten en Cornetto's stelde Schopenhauer al ijskoud vast dat ook de juiste keuze altijd op ontevredenheid uitloopt. Want het wezen van de mens bestaat er volgens hem in 'dat zijn wil streeft, vervolgens bevestigd wordt, en weer opnieuw streeft, en dat in voortdurende herhaling; ja zijn geluk en welzijn is niets anders dan de snelle overgang van wens naar bevrediging en van bevrediging naar nieuwe wens; het uitblijven van bevrediging betekent immers lijden, het uitblijven van een nieuwe wens uit zich in een ijdel verlangen, *languor*, verveling.'

Maar over Wijnants' weinig originele oplossing voor dit grootschalige maatschappelijke probleem lijkt desondanks consensus te bestaan: je moet erachter komen wie je zelf bent, zodat je naar dit authentieke zelf kunt leven. 'Want uit onderzoek blijkt: authentieke mensen maken makkelijker keuzes, zij weten wie ze zijn, wat daarbij past en durven daarvoor te kiezen.'

Onder 'authentieke mensen' worden dus mensen verstaan die weten wat ze willen. Een opvatting die uitgaat van de misleidende veronderstelling dat kiezen een rationele handeling is, een berekening van het verstand op grond van een overzichtelijke hoeveelheid meetbare feiten. Een bekende tekening van de Amerikaanse psycholoog Joseph Jastrow illustreert dat we bij een simpel dilemma al heel weinig aan ons verstand hebben. De tekening toont zowel een eend als een konijn, maar de twee voorstellingen kunnen nooit tegelijkertijd worden waargenomen. Als je de eend erin ziet, dan kun je op dat moment niet ook het konijn erin zien. (De tekening werd vooral bekend door de variant waar de kop van Freud en de beeltenis van een naakte vrouw op dezelfde wijze in waren verstopt.)

Hoe kiest het verstand in dit dilemma? Het verstand kan dat helemaal niet. Het verstand is in staat om te tellen, maar beslissingen neemt het niet. Er is geen logica voorhanden die tot een oplossing van dit probleem leidt. De voorstelling van Jastrow toont dat ons eerste contact met de werkelijkheid altijd wordt gelegd door middel van de verbeelding. We treden de chaos van de werkelijkheid tegemoet met de verbeeldingskracht die er *iets* van maakt. Dat iene-miene-mutte zo effectief werkt bij een kleuter die niet kan kiezen uit laten we zeggen tien ijsjes, heeft dan ook vast en zeker met de muzikaliteit van het versje te maken en niet met een rationele overweging. Mijn oudste zoon bijvoorbeeld zie ik al tijdens het wijsje een keuze maken. En in plaats van dat de slotregel 'Iene miene mutte is de baas' hem dwingt een keuze te maken, stuurt hij met de sierlijke bewegingen van een dirigent zelf zijn vinger naar het verkozen ijsje. Mijn dochter, die op die leeftijd meer moeite had om te kiezen, was ook bij het versje gebaat. Al volgde zij wel het aftelversje tot aan het aangewezen ijsje, zij was zodanig uit de impasse van haar twijfel gehaald, dat ze dan alsnog gedecideerd een 'eigen keuze' maakte.

In onze keuzes komt het erop aan je te identificeren met wat eerst alleen nog een mogelijkheid is. En al praten we vaak rationaliserend over onze keuze, de identificatie zelf kent geen logica, maar wel vorm. Het aardige is ook dat peuters en kleuters zich het tellen het beste ritmisch en beter nog melodisch kunnen aanleren. Het spel van de verbeelding gaat aan iedere verstandelijke ingreep vooraf. Eerst moet er *iets* zijn voordat het kan *meetellen*.

Omdat de populaire opvatting van authenticiteit, in de zin van 'weten wie je bent', steevast als de oplossing voor het probleem van het op-gebrand-zijn wordt gepresenteerd ontglipt het aan de aandacht dat het gebod om jezelf te leren kennen ook zelf weleens de oorzaak van stress zou kunnen zijn.

De toename van het aantal burn-outs houdt dan misschien gelijke tred met het vermeende complexer worden van onze 'meerkeuzemaat-schappij', maar correleert evengoed met de bijna religieuze plicht tot zelfverwezenlijking.

Veelzeggend in dit verband is het hedendaagse gebruik van het woord passie. Iets leuk vinden is niet meer genoeg. Het moet je passie zijn. Zingen, koken, gitaarspelen, hardlopen of televisiekijken, het kan allemaal je passie zijn. Als de presentatrice van *Lingo* vraagt hoe de deel-nemers elkaar kennen, dan kan het antwoord zijn: 'We delen dezelfde passie voor zeilen.' Vroeger zeilde je gewoon allebei. Maar passie is het nieuwe hobby. En al lijkt het een onschuldig synoniem, er treedt een kleine kwaadaardige betekenisverschuiving op in dit taalgebruik. Een hobby (afkomstig van hobbelpaard) is een tijdverdrijf dat juist wordt gekenmerkt door een zekere mate van nutteloosheid en precies daarom in staat is het dagelijkse regime van economisch nut te onderbreken. Een passie daarentegen (rechtstreeks afkomstig van je hoogsteigen ziel) is het sluitstuk van zelfverwezenlijking, het valt samen met je meest au-thentieke drijfveren. Een passie is geen onderbreking van het nuttige, het is de vervolmaking van het nut.

Op de website van *Psychologie Magazine* legt 'Sjaak' in een vragen-rubriek zijn probleem voor aan de dienstdoende webpsycholoog: 'Hoe vind ik mijn passie? Ik zou zo graag een passie/hobby willen hebben, waar ik echt plezier in heb en voldoening uit haal. (…) Mijn werk is aar-dig, maar ik haal er niet echt voldoening uit. (…) Mijn vrije tijd besteed ik aan nutteloze dingen.' Sjaak krijgt advies: Je passie vinden lukt het best 'als je van jezelf weet wat voor jou belangrijk is, wat je drijfveren zijn'.

Hoewel passies van oudsher verwijzen naar de hartstochten die onze ziel in beweging brengen en dienovereenkomstig duiden op de *passivi-*

teit van onze gemoedsbewegingen, wijst het tegenwoordige gebruik van passie juist op activiteit, op aanpakken.

Het zal voor deze aanpakkers moeilijk voorstelbaar zijn dat ook luiheid in de zeventiende-eeuwse ogen van bijvoorbeeld Descartes, Gracián en La Rochefoucauld een passie is. Want vandaag geldt: willen is kunnen. Deze mantra is niet alleen het leidende principe van het wereldwijde zelfhulpsucces van *The Secret*, een 'methode' die door het visualiseren van wat je wilt je doel binnen handbereik zou brengen, ook de meer academisch doortimmerde psychologie staat bol van deze pseudowetenschap. Zo verscheen in 2012 de Nederlandse vertaling van *Willpower: Rediscovering the Greatest Human Strength* van hoogleraar sociale psychologie Roy F. Baumeister en wetenschapsjournalist John Tierney. 'Mensen voelen zich,' volgens Baumeister en Tierney, 'overweldigd doordat er meer verleidingen zijn dan ooit.' En deze verleidingen stellen onze wilskracht zodanig op de proef dat de energie ervan opraakt. Want wilskracht, schrijven de auteurs, moet je zien als een spier. En deze spier raakt overbelast als we hem voortdurend moeten aanwenden om de vele hedendaagse verlokkingen te weerstaan.

Het is dezelfde retoriek als die van de loopbaanadviseur die je al spierpijn bezorgt door alleen maar naar hem te luisteren. Ook hier is 'visualiseren' de uitweg. Baumeister en Tierney menen te hebben bewezen dat orde en regelmaat in een mensenleven in staat zijn de wilskrachtspier te ontzien. Want wie regelmaat kent hoeft niet telkens opnieuw te kiezen. Wat de achterliggende individuele reden voor deze regelmaat is vragen de auteurs zich niet af. Gewoon je individuele passie najagen met wilskracht en orde, dan volgt het doel vanzelf. Zelfs bij hun vaststelling dat gelovigen vaak zo wilskrachtig zijn zien ze alleen het regelmatige leven van de gelovige, niet de achterliggende allesomvattende vorm die iedere religie kenmerkt.

Want daar ligt natuurlijk het probleem van iedere moderne samenleving: niet in de vele keuzes, maar in het ontbreken van een individu overstijgende zin. De economie, zo heb ik al herhaaldelijk benadrukt, is een systeem dat ook een collectief houvast kan bieden, mits deze door de deelnemers meer wordt opgevat en bedreven als een spel, even ludiek als de oikos van de Griekse oudheid. Het geloof in het spel van de religie heeft mijns inziens te veel aan kracht verloren om nog langer voor de samenleving richtinggevend en bindend te zijn. Ook al zijn er zeer veel individuen voor wie religie nog zingevend is, het geloof wordt te geïndividualiseerd bedreven om voor een samenleving nog bindend te kunnen zijn. Economie daarentegen is het huishouden waaraan iedereen deelneemt, zelfs degene die buiten het spel wordt gehouden voelt – en wrang genoeg vaak heviger dan de fortuinlijken – dat hij onderdeel is van dezelfde economie. Naar haar aard is economie meer tot binding in staat dan geloof. Ik denk zelfs dat als er met kerst niet zoveel geld aan het geloof werd verdiend, in ons land dit grootste christelijke feest veel minder deelnemers zou hebben. Overigens spreekt de bijbel geen kwaad over economie, behalve in het verhaal van de tempelreiniging, waarin Jezus het Huis van God hardhandig schoonveegt. 'Hij gooide de tafels van de geldwisselaars en de stoelen van de duivenverkopers omver en hij liet niet toe dat iemand voorwerpen over het tempelplein droeg. Hij hield de omstanders voor: "Staat er niet geschreven: 'Mijn huis moet voor alle volken een huis van gebed zijn?' Maar jullie hebben er een rovershol van gemaakt!"'

Hoe dan ook, willen we de economie meer benutten als een zingevend systeem, zoals de Griekse oikos, dan is het noodzakelijk dat we afstappen van de ernst van het doorrekenen, rationaliseren en winstmaximaliseren. En dus ook van de wilskrachtige individuele zelfhulp die onze arbeidscultuur domineert. Dat meent ook Byung-Chul Han, hoogleraar filosofie aan de Hochschule für Gestaltung in Karlsruhe, in *De vermoeide samenleving*. 'De depressieve vermoeidheid van de prestatiesamenleving is een eenpersoonsvermoeidheid, die vereenzaming en isolement in de hand werkt.'

Als onze vrijheid schuilt in 'de juiste keuze' en in de perfectionering van het zelf, blijft dat schijnvrijheid. Het advies van de loopbaanadviseur maakt van kiezen zelf een prestatie en de plicht tot passie ontneemt ons de adempauze van de hobby. Zo plaatst het naar zichzelf zoekende individu zich buiten een collectieve zin en verwordt hij tot een schakel in een economisch proces, dat enkel winstmaximalisatie tot doel heeft. Een proces dat de loopbaanadviseurs en sociaal psychologen lekker opstoken. Deze 'excessieve prestatieverhoging leidt tot een infarct van de ziel,' schrijft Han. Want als alles uit jezelf moet komen en uit de energie van je wilskracht dan hoort bij iedere zelfverwezenlijking de burn-out als een selffulfilling prophecy.

Zelfs 'genieten' ontkomt niet aan deze economie van de passie. Binnen de rationaliteit van de winstmaximalisatie hoort vanzelfsprekend ook het minimaliseren van tegenvallers. En wie zijn leven en werk als een project meent te kunnen zien, die heeft die tegenvallers ook aan zichzelf te danken. Niet-genieten drukt dan indirect op de begroting. We zien dat ook terug in de dwangmatige behoefte om iedere zonnestraal te benutten. Veel mensen worden binnen zenuwachtig als buiten het zonnetje schijnt. Want winstmaximalisatie is in staat om iedere onopgemerkte zonnestraal als weggegooide energie te zien. Mooi weer *moet* genoten worden, voor zowel de consument die verliest als hij geen terrasje heeft gepakt als voor de ondernemer die verliest als het geen terrasweer is.

Ik roep hier de waarschuwing van Simmel in herinnering, die erop wijst dat de succesvolle werking van geld als nadeel heeft dat de wereld steeds meer wordt gezien als mogelijkheid en niet als werkelijkheid. Want waar alles mogelijk is, daar kan ook alles beter: de voedingsbodem voor ontevredenheid. En de loopbaanadviseur leert dat als je beter had nagedacht je een betere keuze had gemaakt. En zo werkt de winstmaximaliserende economie van de passie niet alleen ontevredenheid in de hand, maar biedt als enige uitweg de doodlopende weg van het werken tot je erbij neervalt.

'Wat is werk nu precies? Het antwoord lijkt voor de hand te liggen: een baan hebben en je taken overeenkomstig de functieomschrijving vervullen, zodat je van de opbrengst kunt leven. Dit is echter slechts de moderne visie op het begrip arbeid, die stamt uit de industriële maatschappij en die zijn langste tijd heeft gehad.' Het is niet verwonderlijk dat de Duitse Wilhelm Schmid een van de best verkopende filosofen van deze tijd is. Schmid formuleert antwoorden op vragen die rechtstreeks volgen uit de sterk geïndividualiseerde en heterogene cultuur waarin wij ons vandaag de dag proberen thuis te voelen. Ook Schmid appelleert aan het machteloze gevoel van de moderne mens die overeind probeert te blijven in de *information overload* die hem dagelijks zou overspoelen. Wie daarin slaagt beheerst zogezegd de kunst van het leven, de *ars vivendi*, zoals Schmid zijn project ook wel noemt – verwijzend naar de klassieke levensfilosofen uit het oude Rome. Bij Schmid houdt deze kunst vooral in 'bewust leven' en zorgen dat het leven niet met jou aan de haal gaat. En omdat we geen slaven van het leven moeten zijn, moeten we evengoed niet het leven van een loonslaaf leiden. 'Werk is niet louter "goederenproductie" of enkel "lonende activiteit", maar een daad in de vormgeving van het leven, een *ars laborandi* als bestanddeel van de *ars vivendi*.' Dus stelt Schmid een ander begrip van arbeid voor dan de in zijn ogen achterhaalde modern-industriële versie: 'Werk is al datgene wat ik in relatie tot mijzelf en mijn leven doe om een mooi en waardevol leven te leiden.'

Net als bij de eerdergenoemde loopbaanadviseurs en psychologen zien we hier een rationele invulling van autonomie en authenticiteit. Laten we nog eens nauwgezet kijken wat er gebeurt als 'mijn werk' zich als een persoonlijke eigenschap zou moeten verhouden tot 'mijn leven' en zelfs een 'mooi en waardevol leven', zoals Schmid wil. Kan de mens wel op die manier beschikken over zijn arbeidsbestemming?

In de huidige arbeidscultuur zouden we zoals gezegd in staat zijn zelf 'bewust' te kiezen en dus zelf op zoek kunnen gaan naar een leuke of gewoon goedbetaalde baan. Ook Schmid doet met zijn individuele levenskunst goede zaken dankzij het ontbreken van een homogene beleving van cultuur, geloof en traditie. Net als Wijnants vindt Schmid de oplossing voor dit maatschappelijk gemis in het combineren van zelfkennis (wat zijn je kwaliteiten?) en het overzichtelijk in kaart brengen van wat de wereld in de aanbieding heeft.

Het klinkt aanlokkelijk, maar Schmid stelt onze wereld te eenvoudig voor, zeker als het om werk gaat. Er is geen enkel sociaal systeem denkbaar waarbij maatschappelijke structuren het individu niet ook tot een bepaald soort werk dwingen. Schmid trapt in de utopische val die ons voorhoudt dat de mens zich als een autonoom individu tegenover de wereld bevindt. De wereld als een grabbelton, waaruit hij of zij neemt wat er van zijn gading bij zit. 'De wereld is niet tegenover mij, maar om mij heen,' schreef de Franse psycholoog en filosoof Merleau-Ponty in de vorige eeuw. En zo is het ook met de arbeidsmarkt, de banen kun je niet naar volstrekte willekeur uitkiezen, de arbeidsmarkt bepaalt, vóór jij kiest, waaruit er te kiezen is – arbeidsmarkt is daarom als begrip al misleidend, want in werkelijkheid bestaat er niet zo'n vrije markt waar iedere baan in principe te krijgen is.

De voorstelling van zo'n vrije arbeidsmarkt lijkt onschuldiger dan ze is. Wat is er tegen een beetje optimisme, zou je kunnen zeggen, dat houdt mensen gemotiveerd. Het omgekeerde is waar. Veel hoogopgeleiden bijvoorbeeld hebben voortdurend het gevoel het verkeerde werk te doen en daarmee hun leven te vergooien, omdat de 'arbeidsmarkt' suggereert dat je je baan zelf kan uitkiezen. De werknemer heeft zo niet alleen een niet leuke baan, hij doet voor zijn gevoel niet waarvoor hij op de wereld is gezet. Hij had immers beter kunnen kiezen. Zo wordt de dagelijkse levensinvulling, je werk (lees: je passie) zinloos en daarmee het hele leven. Een burn-out is van deze zinsontgoocheling niet zelden het gevolg. 'In de huidige maatschappij ervaren inderdaad veel mensen een grote druk,' zei hoogleraar psychiatrie Boudewijn Van Houdenhove al in 2002 in een interview in *Loopbaan*. 'Maar het gaat daarbij in principe nooit over wat zich feitelijk afspeelt, maar over de individuele perceptie.' Een perceptie die dus ook kan voortkomen uit een al te rationele levenskunst.

In de geschiedenis van de mens is carrière maken natuurlijk een betrekkelijk recente manier om in je levensonderhoud te voorzien. Primaire behoeften en de activiteiten die nodig zijn om in deze behoeften te voorzien, zijn stapsgewijs steeds verder uit elkaar gaan lopen. Nadat de menselijke cultuur overging van een jagerssamenleving naar een agrarische, werd de mens door zijn eigen productiviteit gedwongen agrarisch te blijven. Simpelweg omdat de bevolking door deze vorm van productiviteit zo sterk was gegroeid, dat teruggaan naar jagen niet meer kon. In het denken over mens en arbeid markeert deze historische overgang een belangrijke cesuur. Waar werk een vanzelfsprekend onderdeel van het leven was (wat als zodanig niet eens werd gevoeld en onderscheiden) kreeg het vanaf dit punt een zelfstandig en bewust karakter buiten de vanzelfsprekende menselijke beleving. Werken was niet meer een van de activiteiten *van* het leven, maar bestond als omweg: werken om te overleven.

De industrialisatie en de verdere ontwikkeling van de monetaire economie hebben dit proces geradicaliseerd. Nog meer verloor 'werken' voor de mens zijn vanzelfsprekendheid en werd het iets op zichzelf staands. Op een heel letterlijke manier, iets wat eerst 'eigen' was aan het menselijk doen en laten, werd tot iets wat hij ineens ook kon doen of laten: 'vreemd'. Door deze 'vervreemding' ontstond er voor het eerst een distantie die het mogelijk maakte om na te denken over werk.

De Duitse filosofe Hannah Arendt komt in haar *Vita activa* (1958) tot het verhelderende begripsonderscheid tussen de biologisch noodzakelijke 'arbeid' en de scheppende handeling of creatie van 'werk'. Werk is de activiteit die hoort bij het maken, het fabriceren, iets waarmee we boven 'onze natuur' uitstijgen door iets toe te voegen aan de wereld. En dit levert extra mogelijkheden op, in tegenstelling tot 'arbeid'. Arbeid *moet* altijd en aan arbeid kan geen enkele levenscyclus ontsnappen.

Arendt wijst daarbij op de arbeid die in de Griekse oudheid slechts werd verricht door slaven en vrouwen. De rest was vrij van de beperkingen van deze arbeid en kon zich zogezegd met passie storten op wetenschap en filosofie.

Als Schmid stelt dat 'de moderne visie op het begrip arbeid' als vervreemdende activiteit 'zijn langste tijd heeft gehad', vergeet hij dat het 'vreemde' van werk het juist mogelijk heeft gemaakt arbeid aan onze wensen aan te passen. En dat er zoiets is als arbeidsmarkt waar we het idee kunnen krijgen volledig vrij te zijn om te kiezen wat we willen, het werk dat hoort bij wie we zijn. De psychologische afstand tot onze biologische *arbeid* heeft ons, met de woorden van Arendt, *werk* opgeleverd. Eerst alleen in theorie, maar steeds meer ook in de praktijk. Door de afstand die de mens tot arbeid heeft ontwikkeld zijn zijn opvattingen over werk verschoven. We zijn er, zogezegd, creatiever van geworden. Zeker in de twintigste eeuw. En in zoverre zijn de opvattingen van Wilhelm Schmid dan nog wel te begrijpen. 'Werk' wisten we steeds meer als een eigen schepping naar onze hand te zetten. Werken werd steeds meer spelen.

'Een van de mooiste en interessantste betekenissen waarin het woord "werken" wordt gebruikt,' schrijft Cornelis Verhoeven (1928-2001) in *Dierbare woorden*, 'lijkt het minst te maken te hebben met de activiteit en het zwoegen waaraan wij gewoonlijk bij het horen van dat woord moeten denken.' Verhoeven heeft het over het werken van hout. 'In die uitdrukking staat "werken" niet voor het verrichten van al dan niet productieve activiteit, maar nu juist voor het passief ondergaan van invloeden van buitenaf. De werking van het hout betekent dat het niet onveranderlijk is als een dood stuk steen, maar dat het al krimpend en kreunend reageert op bijvoorbeeld droogte en warmte in zijn omgeving. Dat werken is een verwerken van wat zich voordoet en de werkelijkheid is datgene wat te verwerken is.' En de winst die deze ongewisse werkelijkheid mensen ook kan opleveren wordt in de transparante en meetbare levensvisie van de prestatiedenkers steevast over het hoofd gezien. 'Het kennis maken met de weerbarstige werkelijkheid in de vorm van verwerken en ondergaan is [de mens] niet minder dierbaar dan de glorie van het resultaat.'

Het passieve spel met de werkelijkheid zoals Verhoeven het werken graag ziet, zagen we al eerder in Huizinga's *Homo ludens*. Een aansprekend voorbeeld van het 'speelser' worden van arbeid is de passage waarin hij de woorden citeert die Anton Philips uitsprak bij de inontvangstneming in 1928 van een eredoctoraat van de Rotterdamse Erasmus Universiteit (toen nog de 'Nederlandsche Handels-Hoogeschool'): 'Zowel mijn broer als ik hebben onze zaak eigenlijk nooit beschouwd als een taak, maar wel als een sport, die wij trachten onze medewerkers en de jongeren bij te brengen.'

Philips verklapt zijn managementstrategie: maak van werk een spel. 'Sinds mijn intrede in de N.V., werd het een wedstrijd tussen de technische en commerciële leiding om elkaar de loef af te steken. De een trachtte zoveel te fabriceren, dat hij meende dat de commerciële leiding het niet aan de man kon brengen, terwijl de ander zoveel probeerde af te zetten, dat de fabriek geen gelijke tred zou kunnen houden met de verkoop, en deze wedstrijd is altijd blijven bestaan; dan is de een voor, dan behaalt de ander de overwinning.'

Volgens Huizinga functioneert elke beschaving als een spel. Niet op de manier dat slechts sommige elementen in een cultuur een spelkarakter hebben, zoals feesten, sport of pesterijtjes. Cultuur zélf is een spel; iedere beschaving bestaat bij gratie van de onophefbare verhouding van spel en ernst. Hoe die twee ineengrijpen illustreert Huizinga door minutieuze analyses van uiteenlopende culturele verschijningen, zoals die van het 'verlichte' management van Philips. En opvallend in het succes van Philips is volgens Huizinga niet alleen dat hij van werk een spel maakt. Het is nog veel sterker, voegt Huizinga toe: 'Ter verhoging van deze competitiegeest vormt dan het groot bedrijf zijn eigen sportgemeenschappen, en gaat zelfs over op het in dienst nemen van werklieden met het oog op een elftal, niet louter om hun beroepsbekwaamheid. Weer is het proces omgekeerd.' Het gaat hier natuurlijk over de in 1913 opgerichte Philips Sport Vereniging, PSV dus. En intussen weten we hoe het met dat spel ernst is geworden – in alleen al het Nederlandse eredivisievoetbal ging in het seizoen 2010-2011 zo'n 433 miljoen euro om.

De omkering naar de ernst, die in het spel altijd op de loer ligt, legt een belangrijke karaktereigenschap van het spel bloot. Het spel moet niet worden gezien als een toestand van ongebreidelde mogelijkheden, waarin *the sky the limit* is. Als metafoor voor de huidige arbeidscultuur moet het spel tegelijkertijd worden opgevat als een inperkend en richtinggevend systeem. Ook het spel heeft zijn grenzen, de regels van het spel. Paradoxaal genoeg leveren juist deze grenzen de vrijheid voor de speler.

Dit grensgebied ervaren we het indringendst in het spel, schrijft de Duitse filosoof Helmuth Plessner, een tijdgenoot van Huizinga. 'Spelen is steeds spelen met iets dat ook met de speler speelt, een in beide richtingen verlopende relatie, die uitnodigt tot een verbinding, zonder zich echter zoveel te verstevigen dat de willekeur van het individu geheel verloren gaat. Toch bestaat er op elk ogenblik het gevaar van een ommekeer. De losse symbolische verbinding vervliegt dan en de ondubbelzinnigheid schuift ervoor in de plaats: het spel wordt ernst, het jagen, vangen en stoeien wordt strijd, het symbool wordt door de werkelijkheid verdrongen.'

Die 'werkelijkheid' van ons leven en van ons werk ligt altijd op de loer. En dat is iets wat we nog weleens dreigen te vergeten door de steeds groter geworden vrijheid en speelsheid in ons werk. De speelse aanpak van Philips was alleen nog maar een voorbode van onze huidige arbeidsmarkt waar steeds meer mensen via het spel van het netwerk hun eigen werk scheppen. De grenzen worden niet meer extern gesteld door een heel rigide banenmarkt, met een zeer beperkt en eenduidig aanbod. Maar, nogmaals, hierin schuilt ook venijn. Een venijn waar Schmid in zijn enthousiasme blind voor blijft.

Als we ons werk, en volgens Schmid zelfs ons hele leven, moeten zien als een eigen keuze, als een spel waar we zélf de regels voor hebben opgesteld, dan blijven we uiteindelijk alleen gericht op het najagen van zo min mogelijk belemmeringen – een inhoudsloze winst. Zonder de externe en paternalistische beperkingen van buitenaf willen we ons 'eigen' leven leiden. Maar willen we daadwerkelijk plezier beleven aan het spel van het werk, dan moeten we ons ook kunnen 'verliezen' in het spel. Dan is het nodig in te zien dat het spel jou de grenzen oplegt en nooit andersom. Of zoals La Rochefoucauld in zijn 153ste maxime schrijft: 'De natuur schenkt ons talenten, het lot zet ze aan het werk.'

5

De winst

The skybox is the limit

In het voorjaar van 2004 maakten we voor onze huwelijksreis een tien-daagse wandeling door Toscane. Het was zondagmiddag toen mijn kersverse vrouw en ik het stille en koele pension binnenstapten dat we hadden gereserveerd in het historische centrum van Siena. Aan de keukentafel op de eerste verdieping noteerde de gastvrouw onze paspoort-nummers, terwijl uit een radiootje achter haar het gedempte geluid klonk van een ratelende Italiaanse verslaggever. Ineens hield ze haar pen stil om naar de stem te luisteren, toen vloog ze van haar stoel en begon te joelen voor het open raam. Van het witgepleisterde pand aan de over-kant van de smalle steeg kwamen vreugdekreten terug. In gebroken En-gels verontschuldigde de pensionhoudster zich. A.C. Siena, verklaarde ze, had zojuist een uitwedstrijd gewonnen en daarmee definitief degra-datie voorkomen. De plaatselijke voetbalclub had haar allereerste jaar in de Italiaanse Serie A overleefd.

Heel Siena verkeerde die avond in vrolijkheid. En toen we na het diner terugliepen naar ons pension stond voor het stadhuis op het kleine Piaz-za del Campo de spelersbus, die werd toegezongen door een handvol Sie-nezen. Ik kan me niet herinneren dat er politie bij was. Ook niet toen de bus stapvoets door de smalle straatjes het centrum verliet met de sliert fans achter zich aan. Dat is toch van een andere orde dan bijvoorbeeld de huldiging van het beursgenoteerde Ajax toen het in 2011 op het Amsterdamse Museumplein zijn landstitel vierde. Een woordvoerder van de gemeente liet meteen na afloop weten tevreden te zijn over de feestelijkheden, maar toen de rook eenmaal was opgetrokken, moest de gemeente toegeven dat met 160 gewonden en ruim een half miljoen euro schade een en ander toch wat minder feestelijk was verlopen.

Sindsdien is de huldiging uit het hart van Amsterdam weggehaald en verplaatst naar het excentrische Arenapark. Het verbannen van de viering van een kampioenschap naar een soort afwerkplek voor uitzinnigheid is symbolisch voor de plek die het spel vandaag de dag in de samenleving inneemt. Het spel vormt geen onderdeel meer van de cultuur, maar is een geprofessionaliseerde, op zichzelf staande amusementsmachine geworden. Dat geldt niet alleen voor voetbal, maar voor vrijwel alle van oorsprong ludieke sporten, van wielrennen tot darts. De winst van het spel wordt niet langer behaald op het veld, maar op de beurs. En de prijzen van deze sporters komen niet in de prijzenkast van de club, maar in de clubkas terecht, en op hun eigen rekening – om een indruk te geven: Zlatan Ibrahimović (1981) verdiende in een jaar 20 miljoen euro, Cristiano Ronaldo (1985) ruim 34 miljoen, Lionel Messi (1987) bijna 32, en onze eigen Arjen Robben (1984) en Robin van Persie (1983) rond de tien miljoen euro. Daar zijn zelfs de bonussen voor banktopmannen niets bij.

De teloorgang van het ludieke is niet alleen jammer voor de lol van de sport. Met het oog op een samenleving die gespeeld wordt als een Griekse oikos, dient het spel en de voortdurende oefening van het spel een plaats in te nemen in het hart van de samenleving. Zeker als het vertrouwen in die andere grote zingevende instantie, het geloof, is verdwenen. En onze economie kan eerlijker gespeeld worden, als de spelers zich meer oefenen in het spel.

Huizinga kondigde het in *Homo ludens* al aan: 'In de sport hadden we te doen met een activiteit, die bewust en erkend is als spel, die evenwel is opgevoerd tot zulk een graad van technische organisatie, materiële uitrusting en wetenschappelijke doordachtheid, dat in haar collectieve en publieke uitoefening de eigenlijke stemming van het spel dreigt teloor te gaan.' De toename van de communicatiemiddelen zou er volgens Huizinga voor zorgen dat 'techniek, publiciteit en propaganda' ook in de sport 'de commerciële wedijver' zou uitlokken. En dan zien we drie-kwart eeuw later het resultaat: de dodelijke ernst van 'voetbalanalisten' in programma's als *Studio Voetbal*, de commerciële hegemonie van de FIFA, de miljoenentransfers, de beursgenoteerde clubs en ten slotte de devaluatie van de sportliefhebber tot 'amateursporter'. Dat niemand nog opkijkt van de absurditeit van deze laatste term bewijst alleen al dat het ludieke van de sport tot de verleden tijd behoort. Het verdwijnen langs de lijn van het joggingpak en het verschijnen van het maatpak is geen modegril maar een immense culturele omslag die door de hele sa-menleving voelbaar is. In het verlengde van deze ontwikkeling ligt het taalgebruik waarbij de term 'sport' zelfs staat voor serieuze economi-sche activiteit, met de bijbehorende *targets*: ik denk aan 'een andere tak van sport' of het veelgebruikte 'topsport' door mensen die trots zijn op hun tachtigurige werkweek. Dat echte topsport de laatste tijd allerminst sportief tot stand komt, maar vooral kan bestaan door geld- en doping-injecties zien deze hardwerkende Nederlanders even over het hoofd.

Het 'plezier van het spelletje', zoals het de dagen na het doodtrappen van Richard Nieuwenhuis, de grensrechter van de Almeerse Buiten-boys, voortdurend werd genoemd, is niet pas om zeep geholpen door een stel raddraaiers die al vele jaren geweld plegen op en rond de sport-velden, maar door een verziekte cultuur die het resultaat is van de pro-fessionalisering van sport en van voetbal in het bijzonder, de marktlei-der aller sporten.

De blinde vlek hiervoor werd pijnlijk duidelijk bij de opening van *Nieuwsuur* daags na het fatale incident, toen net bekend was dat Nieu-wenhuis als gevolg van geweld op het voetbalveld was omgekomen. Nadat presentator Twan Huys de dood van de grensrechter meldt ('is dit een incident of is er meer aan de hand? Zo meteen een verslag'), leest sportpresentator Jeroen Stomphorst zonder blikken of blozen alvast de lead voor het sportdeel van het dagelijkse actualiteitenprogramma: 'Nederlandse voetbalclubs tellen al jaren niet meer mee aan de top, clubs met het grote geld hebben het voor het zeggen in de Champions League.'

Het zinloze geweld bij de Buitenboys op 2 december 2012 is een van de trieste gevolgen van een samenleving waarin de rol van het ludieke is uitgespeeld ten bate van het grote geld.

'Echte cultuur,' schrijft Huizinga, 'kan zonder een zeker spelgehalte niet bestaan.' Het belang van dit cultuurfilosofische inzicht kan voor onze individualistische en geseculariseerde samenleving nauwelijks worden overschat. Huizinga verklaart de noodzaak van het spel voor een cultuur namelijk uit de paradox van de menselijke conditie: aan de ene kant wil de mens definitieve antwoorden, aan de andere kant weet-ie als hij er even over nadenkt dat het leven onmogelijk logisch kan worden gefundeerd. 'Met het logisch doordenken der dingen reikt hij niet ver genoeg.'

Om een leven zinvol te maken, moet de mens er zelf een zin aan geven. Nu het geloof en de ideologie, de zuilen en de vakbonden niet langer kunnen voorzien in deze behoefte aan zin, lijken we zelfontplooiing en zelfverrijking als de enige reële alternatieven te zien – op enkele idealistische uitzonderingen na dan, zoals het even sympathieke als groteske voorstel van de Engelse filosoof Alain de Botton om seculiere kerken te stichten, onder het motto: als we niet meer geloven laten we dan spelen dat we geloven, want dat zou ook een vorm van saamhorigheid opleveren. Maar zonder het geloof in het heilige werkt het religieuze spel niet en heeft het zelfs de neiging om fundamentalistisch te worden, het verliest zich in de regels zonder de geest van het spel in ogenschouw te nemen. Voor een spel geldt dat de regels worden bewaakt *alsof* ze onomstreden zijn. 'Zij bepalen,' volgens Huizinga, 'wat er binnen de tijdelijke wereld, die het heeft afgebakend, gelden zal. De regels van een spel zijn volstrekt bindend en onbetwijfelbaar. Paul Valéry heeft het eens terloops gezegd, en het is een gedachte van ongemeen verre strekking: ten opzichte van de regels van een spel is geen scepticisme mogelijk. Immers de grondslag die ze bepaalt, is hier onwrikbaar gegeven. Zodra de regels overtreden worden, valt de spelwereld ineen. Er is geen spel meer. Het fluitje van de scheidsrechter heft de ban op, en herstelt "de gewone wereld" voor een ogenblik weer in werking.' En dat geldt volgens Huizinga ook voor het sacrale spel.

Niet geloofje spelen geeft zin, maar spelen zelf geeft het leven zin. Zolang de spelers geloven in hun spel is het spel in staat om ons grondeloze bestaan van een tijdelijke grond te voorzien. Het eigenaardige aan een spel is dat ieder arbitrair punt het vertrekpunt kan zijn (we spreken af dat we het zo doen), maar zodra het spel begint dit punt niet meer als willekeurig wordt ervaren. En in dit spelen verschijnt ieders leven ineens als een geheel. Alles lijkt even zinvol, omdat ieder zijn plek heeft binnen het speelveld en omdat zijn identiteit wordt bepaald door het doel van het spel. Zoals een balletje trappen een einde maakt aan verveling, zo maakt een leven dat met de ernst van het spel gespeeld wordt een einde aan zinloosheid.

Had De Botton maar beter om zich heen gekeken, dan had hij gezien dat het spel nog vele gelovigen kent. Ieder weekend zijn de sportvelden bezaaid met liefhebbers, die dus helaas amateurs worden genoemd. En die door de terreur van de voetbalanalyses van Jan van Halst cum suis denken dat er één manier is om het spel te spelen. 'Het logisch doordenken der dingen', da's logisch, zou Cruijff zeggen. Zulk geredeneer met als doel de grootste overwinningen te behalen voor het grote geld produceert geen cultuur van spelers maar van betweters. Die elkaar op het veld maar ook in het dagelijkse verkeer om het eigen gelijk de tent uit vechten.

Er bestaat een opvallende parallel tussen de analyses die economen sinds de financiële crisis dagelijks via radio- en televisieprogramma's over ons uitstrooien, en de wat-alsscenario's van de voetbalanalisten. Presentator Jack van Gelder zag het een week na het dodelijke incident in Almere allemaal al weer heel helder. Tegen zijn mededeskundigen aan tafel bij *Studio Voetbal* zei hij: 'Geweld op het veld, ja daar is de leidsman voor, maar hoe dan uiteindelijk de leidsman, een scheidsrechter, een leraar op school, een politieagent, hoe díé wordt beoordeeld, dáár gaat het om. Dáár moet respect voor zijn.' Nog in dezelfde uitzending bespreken de vijf deskundigen een rode kaart die nota bene een 'leidsman' heeft uitgedeeld en zijn ze het volmondig met Jan van Halst eens: 'Die moet kwijtgescholden worden.' Hier mag blijkbaar het respect voor de leidsman alweer wijken. En ook als de leidsman er zelf om vraagt dringt de ware betekenis van respecteren niet tot hen door. Scheidsrechter Serdar Gözübüyük beklaagt zich voor de verslaggeversmicrofoon over de bemoeizucht. Hij is het samen met zijn nationale en internationale collega's goed zat. 'Wat er al over één beslissing allemaal niet op ons afkomt, vanuit iedereen die vijf, zes herhalingen heeft gezien. Geef mij ook zo'n tv'tje, dan heb ik het ook altijd goed gezien (...) maar wij hebben maar twee seconden de tijd om te beslissen.'

De deskundigen horen, zien, maar zwijgen mooi niet. De tablet wordt erbij gepakt en Van Halst tekent met zijn gadget vol trainerssoftware de ideale posities en omstandigheden uit over de vertraagde beelden van de zojuist gespeelde competitiewedstrijden. Kijk, als ze nu daar hadden gestaan, en als ze nu hadden doorverdedigd en als ze nu het veld breed hadden gehouden, dan had het er allemaal heel anders uitgezien.

En vanaf datzelfde punt van Archimedes zit dus ook de economisch analist dagelijks het politieke spel te becommentariëren van de Europese regeerders die proberen een economische crisis te bestrijden. In de zomer van 2011 zit econoom Rick van der Ploeg bij televisietalkshow *Pauw & Witteman* aan tafel. Hij vergelijkt het handelen van de gezamenlijke Europese ministers met een vader die als zijn dochter in de fik staat omdat ze met de lucifers heeft gespeeld niet meteen een emmer water over haar heen gooit, maar eerst uitvoerig met haar gaat overleggen hoe dit in de toekomst te voorkomen. Zo'n opmerking tekent onze cultuur van commentaar. Het klinkt heel overzichtelijk, maar het probleem van de politiek is natuurlijk dat er meestal nergens een emmer water klaarstaat om welke crisis dan ook mee te blussen, en bovendat dé politiek niet wordt bestuurd door één autonome vader. Het is een spel met heel veel spelers. En politici hebben net als voetballers alleen de tijd die ze gegeven is, de conditie en het talent waarover ze toevallig beschikken, de even toevallige en beperkte steun van het electoraat. En dan zijn er nog heel veel strijdige belangen die nergens anders kunnen worden opgelost en uitgestreden dan op het politieke veld zelf.

Zo ook de economen Mattijs Bouman, Marike Stellinga en Barbara Baarsma die gedrieën op 15 februari 2012 in de *De Wereld Draait Door* reageren op de cijfers van het CBS die een economische krimp laten zien. Volgens Bouman moeten we 'met z'n allen' de pensioenleeftijd verhogen, de hypotheekrente aanpakken en de BTW verlagen, Stellinga maant tot snelheid: 'Hoe eerder de politiek ingrijpt, hoe beter,' en Baarsma vindt dat Rutte niet zo had moeten dralen en in Europa het knapste jongetje van de klas moest willen zijn. Aanpakken, aanpakken, aanpakken. Het commentaar heeft altijd gelijk. Maar waar zitten toch die knoppen waar de 'trage politici' aan moeten draaien? Ik hockey op zondag bij de heren veteranen van een club in Noord-Groningen en dan zie ik in de rust hetzelfde: iedereen weet het beter. Maar op het veld moet het gebeuren.

De winst van sportbeoefening wordt ook door de overheid vrijwel uitsluitend economisch gewaardeerd, namelijk als preventie tegen twee grote ziektekostenposten: obesitas en stress. Want sport is ontspanning en een calorieënverbrander. Maar sportbeoefening als oefening van het spel is om de reden van het spelelement van veel groter belang voor een samenleving. Het kunnen onderscheiden van spel en ernst is namelijk afhankelijk van een oordeelskracht die om voortdurende oefening vraagt.

Dat merk je al bij de kleuter die zich de grondbeginselen van het ganzenborden probeert eigen te maken. Je moet leren dat verliezen niet de bedoeling is, maar als je dan verliest mag je dat niet erg vinden – 't is immers maar een spelletje. Je moet leren dat je niet weet wie er gaat winnen, en dat dát juist leuk is – ook als je hebt verloren. Je moet ook weten dat de gans niet echt dood kan gaan of in de gevangenis belandt.

Als Huizinga beweert dat een cultuur bestaat bij gratie van het feit dat deze speelt dat ze een cultuur is dan heeft hij bij dit spel de ernst van het spelende kind in gedachten. Want, zo zegt hij, het spelende kind neemt het spel volstrekt serieus maar weet ieder moment dat het spel gespeeld is. 'Het kind kan zich een ongeluk schrikken door het gebrul van wat hij weet, dat geen "echte leeuw" is.' En dat gaat dus op voor een hele cultuur: al weten we dat het geen echte leeuw is, we doen er alles aan hem niet in zijn hempie te laten staan.

Op dit snijvlak tussen ernst en spel is de mens een onzeker wezen dat nog weleens wil doorslaan naar een van de twee kanten, of door gratuit alles te spelen, of door heel serieus en angstig te roepen om meer respect voor autoriteit. In de discussie rondom de dood van de grensrechter van de Buitenboys wordt gevraagd om strengere straffen ('levenslang geen lid meer van een sportclub'), om slimmere regels ('de buitenspelregel moet worden afgeschaft') en om sterkere arbiters ('geef ze een cursus zelfverdediging').

Maar de scheidsrechter heeft niet voor niets een fluitje en geen dienstwapen bij zich. De arbitrage van de samenleving – van grens- tot strafrechter – bewaakt het arbitraire beginpunt van onze gespeelde cultuur. De arbiter vertegenwoordigt niet het gezag maar de willekeurigheid van het spel dat de mens met zichzelf speelt. Ondanks de willekeurigheid moeten we diens autoriteit respecteren, niet omdat hij gelijk heeft of je streng kan straffen, maar omdat er anders geen spel meer is.

Ja, dat vindt ook Ronald Koeman wel, de coach van Feyenoord die geregeld als 'analist' aan tafel zit bij Jack van Gelder, alleen maakt hij één kanttekening: 'Respect moet er altijd zijn, maar het is wél voetbal, het is wel emotie.' Voetbal is emotie. Je zou het niet zeggen als je Koeman hoort praten. Hij spant met zijn monotone dooddoeners de kroon op de media-getrainde meningencultuur. Maar het zorgwekkende is dat dit domme cliché breed gedragen wordt. In een televisie-uitzending van *Pauw & Witteman*, enkele dagen na de dood van de grensrechter, blijkt de minister van Sport, Edith Schippers, op dezelfde lijn te zitten als de gemiddelde voetbalexpert. Ze omschrijft sport ook als 'iets waar heel erg emoties bij loskomen en waarbij je de grens dus iets eerder overschrijdt'. Wie sport zo kenschetst impliceert niet alleen dat het exces in het verlengde ligt van alle sport, maar vooral dat we haast geen andere keus hebben dan nog meer straf en gezag als de oplossing voor het steeds agressiever worden van de openbare ruimte. 'Het begint gewoon bij de opvoeding,' vervolgt Schippers, 'het aanleren van gezag, en dat kunnen de ene keer scheidsrechters zijn en de andere keer is dat een politieman. Maar dáár begint het. En met zijn allen moeten we een omgeving creëren waarbij je ook elkaar corrigeert.' Het belangrijkste wat de overheid in haar ogen dan ook kan doen is het 'aanscherpen van het tuchtrecht', en het er beter bij betrekken van 'politie en justitie'. Aan diezelfde tafel, een paar dagen eerder, vroeg ook de voorzitter van de Almeerse Buitenboys om strengere straffen en PVV-kamerlid Fleur Agema deed meteen het voorstel voor 'een levenslang verbod (…) om te spelen bij welke club dan ook, niet alleen voetbal maar alle sporten', want 'ze verstieren het voor ons allemaal, het hele plezier in het spelletje gaat verloren'.

Met gezag, tucht, autoriteit en straf krijg je het ludieke niet terug in de samenleving. Sterker nog, de nadruk op de repercussies fixeert juist het idee dat ontsporing bij het spel hoort. Het tegendeel is het geval. Het spel – van carnaval tot triatlon – biedt juist een sfeer waarin de strijdende verlangens die tussen mensen onderling en in de individuele menselijke ziel rondgaan een vorm kunnen krijgen. De fictieve basis van ieder spel maakt het mogelijk om samen met een ander te wedijveren zonder de ander *echt* te moeten verslaan. Stoeien zonder strijd. Degenen die dat nog niet snappen, en het 'verstieren voor ons allemaal' moeten niet een levenslang verbod op het spel krijgen, maar het juist nog veel meer oefenen.

Het spel komt in de plaats van echte strijd, en overschrijdt daarom niet eerder de morele grens, zoals Schippers meent, maar bevestigt deze grenzen juist en maakt het mogelijk ze in stand te houden. Niet alleen voor de spelers op het veld, maar ook voor de toeschouwers die onderdeel zijn van ieder spel. De winst van het spel is een fictieve maar niettemin heuse realiteit, gelijk aan die van de literatuur, het theater en de religie. Dat wil zeggen, de ludieke winst bestaat alleen gedurende het spelen, in die tijd en op die plek. De winst die daarentegen in de samenleving steeds meer wordt nagejaagd, is de winst in de vorm van het resultaat dat zich pas voordoet na afloop van ieder spel. En buiten de ruimtelijke sfeer ervan.

Illustratief is de loopbaan van topvoetballer Andy van der Meijde (1979). Het Arnhemse schoffie wordt eerst door het spel gered uit het uitzichtloze leven als zoon van een aan drank en gokken verslaafde vader. Het voetballen op straat is zijn enige houvast. Dan wordt hij ontdekt en verloopt zijn carrière als in een jongensdroom. Van Vitesse, Ajax en Inter naar het Engelse Everton. Op het hoogtepunt van zijn roem in 2005 verdient hij veertigduizend euro per week. En daar kan het spel niet tegenop. Juist de onbegrensdheid die de rijkdom biedt is niet in staat vorm te geven aan de onuitputtelijke en ongeleide verlangens die rondgaan door ieders ziel. Van der Meijde raakt de weg volledig kwijt. Einde carrière.

De exorbitante bedragen in het betaald voetbal en de overdadige media-aandacht corrumperen het spel. Ze laten een maatschappelijke norm ontstaan die het spel een ander winstbegrip voorschrijft. Het doel van het spel is niet langer het spel zelf is, maar de winst die het winnen tot resultaat heeft, anders gezegd, de winst van de winst. Binnen deze winstopvatting wordt toeval, een noodzakelijk onderdeel van een spel, geminimaliseerd en schuldgevoel zoveel mogelijk weggenomen. Want als het geld ervoor is, en alle aandacht ervoor is, dan *verdienen* we het blijkbaar ook.

Het spel is van zichzelf bij uitstek een oefening in matiging, en zou daarom in iedere samenleving niet alleen voortdurend geoefend moeten worden, maar als hart van het huishouden ook vrij gehouden moeten worden van grote financiële belangen. En ('economen let op!') wie weet moeten we het bijbelse verhaal van de tempelreiniging wel juist zo opvatten: dat een huishouden als in een labyrint om de open plek in het centrum heen cirkelt, en deze plek altijd vrijhoudt van handel.

De 'winst van de winst' helpt het ludieke om zeep, maar bedreigt ook de economie. Terwijl de klassieke Griekse oikos als lusthuishouding het eigenbelang en de toevalligheid weet te benutten als motor van de economie, draagt de economie van winstmaximalisatie het gevaar in zich dat de in het geld gestolde verlangens elders, buiten het eigen huishouden, worden bevredigd of in eigen huis worden verspild.

Het spelelement heeft, zoals Huizinga dus al voorzag, zodanig te lijden gehad onder de ernst van het trio wetenschap, media en commercie, dat we de eenvoudige waarheid van het spel 'dat er maar één de winnaar kan zijn' ver uit het oog zijn verloren. De KNVB heeft zich er dan ook niet bij neergelegd dat het gedroomde Nederlands elftal al in de eerste ronde uit het EK van 2012 wordt gespeeld. 'Uit wetenschappelijk onderzoek blijkt dat de spelers van Oranje fitter hadden kunnen zijn,' verklaart directeur betaald voetbal Bert van Oostveen in een interview met *Voetbal International*. Kosten noch moeite worden gespaard om te winnen, niet om te spelen. Ook chef de mission Maurits Hendriks jaagt professionele targets na voor de Nederlandse olympische ploeg. Eind 2012 maakt hij daarom bekend dat hij de beschikbare 39 miljoen aan topsportgelden niet in 180 maar in 55 topsportprogramma's wil investeren. Wat nou olympische gedachte dat meedoen belangrijker is dan winnen. 'We hebben de ambitie uitgesproken om bij de beste tien sportlanden van de wereld te horen,' zegt hij in *Nieuwsuur*. Hij wil 'het meeste geld bij de sporters met de meeste kansen' en hij noemt dat trots 'harde keuzes'. Maar kiezen voor de financiële winst ten koste van ludieke winst is om een andere reden 'hard' dan deze oud-hockeycoach denkt. Het gaat ten koste van de diversiteit en het ludieke van het spel en ondergraaft zo ook de samenleving.

Om het spel weer terug te krijgen in het hart van de samenleving moet de burger zich blijven trainen als homo ludens. Dat betekent het voortdurend oefenen van het spel en niet luisteren naar analisten. En zeker niet alleen maar voetbal kijken, maar naar sport en spel in de volle breedte.

Volgens minister Schippers kan de overheid 'alleen faciliteren' in het oplossen van de agressieproblemen op de sportvelden en in het overige sociale verkeer. 'Daar gaat zeven miljoen per jaar in zitten.' Uit het hele sportbeleid, dat in termen van gezag en repressie wordt uitgevoerd, blijkt dat er geen enkel idee bestaat over hoe het ludieke weer terug kan worden gebracht op de velden, en daarmee in de samenleving. En het is niet zo dat de overheid daarvoor geen mogelijkheden heeft. Als grootste sponsor alias subsidiegever van de KNVB zou de overheid het publieke belang kunnen dienen door de voetbalbond te dwingen de uitzend-rechten van het betaald voetbal bij de publieke omroep te houden en niet onder commercieel bestuur te plaatsen. Dat lijkt misschien een druppel op de gloeiende markteconomische plaat, waar adverteerders en investeerders de dienst uitmaken. Maar het oude medium van de te-levisie heeft sinds de jaren vijftig van *Mad Men*'s Sterling Cooper na-tuurlijk alleen maar meer impact gekregen.

Helaas is het televisieprogramma *Holland Sport* van de buis verdwe-nen. Het VPRO-programma van Wilfried de Jong wist seizoenen lang van elke denkbare sport het ludieke te tonen. Het leek warempel wel een andere wereld die hij voor het voetlicht bracht – zelfs voetbal en wiel-rennen leken bij De Jong weer om het plezier van het spel te gaan. In plaats van het doodanalyseren van wedstrijden door de armzalige feitjes en speculaties van deskundigen liet hij een diversiteit aan sporters in de studio een balletje trappen, slaan of gooien en sloot hij iedere uitzen-ding af met een fietswedstrijdje op een rollerbaan tussen de topsporters die die dag te gast waren. Het regeerakkoord van Rutte II (29 oktober 2012) belooft het staatsspeelhuis Holland Casino 'onder voorwaarden' van de hand te doen. Ik hoop dat met een deel van de opbrengst *Holland*

Sport nieuw leven wordt ingeblazen. Dan kan de NOS weer gewoon verslag- en berichtgeven en kunnen de hordes duurbetaalde maatpakanalisten à la Van Halst van de buis.

In *Niet alles is te koop* vestigt de Harvard-hoogleraar politieke wetenschappen Michael Sandel de aandacht op wat hij noemt de skyboxificatie van de samenleving. Hij ziet in de ontwikkeling waarin 'het geld het sociale aspect van de sport meer en meer verdrongen heeft' een maatschappelijke trend. Voor grote clubs is 'het rendement van skyboxen onweerstaanbaar'. Maar 'de opkomst van de skyboxen hoog boven het speelveld heeft kapitaalkrachtige en bevoorrechte mensen gescheiden van het gewone volk op de tribunes'. Met instemming citeert hij de kritiek van Frank Deford, een journalist van *Newsweek* die vaststelt dat de magie van de volkssporten juist was 'dat ze in essentie zo democratisch waren. (...) Het stadion was gemaakt voor de samenkomst van heel veel mensen; het was het dorpsplein van de twintigste eeuw, waar we allemaal ons enthousiasme konden delen.' Sandel noemt deze nieuwe ongelijkheid, waarvan de skybox een exemplarisch voorbeeld is, 'niet goed voor de democratie, en evenmin een manier van leven die voldoening schenkt'. Hij sluit zijn betoog af met de vraag of we een maatschappij willen waarin alles te koop is. 'Of zijn er bepaalde morele en sociale waarden die op de vrije markt niet worden gerespecteerd en die niet te koop zijn?'

Als je het mij vraagt, moet de vraag niet zijn of alles te koop is, want alles is te koop. Sandel wil graag dat we via het maatschappelijk debat tot de 'waarden' komen die tot een grotere maatschappelijke saamhorigheid leiden. Maar ook een markt van morele waarden is een vrije markt. En dus zal het wachten op zijn ideaal niet alleen tevergeefs zijn, maar vooral ook nog eens gepaard gaan met eindeloze discussies over wat de beste waarden zijn. Een soort *Studio Voetbal* van de ethiek. Sandel laat als geen ander zien hoe geld op een kwaadaardige manier is doorgedrongen tot in de kleinste hoekjes van de alledaagse leefwereld waardoor het gemeenschappelijk leven steeds meer aan de greep van de mens ontsnapt, maar zijn oplossingen zijn haast even krachteloos als de gratuite oproep van de KNVB om meer respect – zeker als je weet wat hij zelf voor een lezing vraagt.

Er bestaat een hardnekkige aanname onder ethici dat waarden aan normen voorafgaan, als een soort onzichtbare voedingsbodem waar de uiterlijke normen en regels uit opbloeien. Een idee dat waarschijnlijk zo sterk is omdat een waarde moeilijker is te omschrijven dan een norm. Maar los van de wereld waardeert een mens niets. We worden altijd in een al bestaande wereld met geldende normen geworpen en daar beginnen we pas te waarderen.

Een debat over waarden heeft in een individualistische samenleving sterk de neiging vast te lopen in individuele smaak: dat vind ik gewoon lekker, einde discussie. Willen we nadenken over de zin van onze markteconomie, dan moeten we ons niet afvragen of alles te koop is, maar zouden we ons beter kunnen buigen over spelregels en spelmiddelen die we maatschappelijk al tot onze beschikking hebben. De regels en middelen die de verschillende sociale sferen nu al mogelijk maken, van de Tweede Kamer tot de sportkantine.

Net als de begeerte naar het verboden fruit pas door het aanbod van de slang ontstond, zo wordt ieders behoefte bepaald door het aanbod. Onze verlangens worden gestuurd in het economisch spel waarin wij de spelers zijn. Het toezien op *fair play* in bestaande politieke, maatschappelijke, sociale en sportieve sferen levert meer economische winst op dan een doelgroepenonderzoek naar waarden waaraan behoefte is.

'De moderne cultuur,' schrijft Huizinga, 'wordt nauwelijks meer "gespeeld", en waar zij schijnt te spelen, is het spel vals.' Dat geldt volgens hem ook voor het politieke spel, waarin de spelers 'tegen alle staatsbelang in met hun tactiek van omverwerping van ministeries het land voortdurend blootstellen aan gevaarlijke politieke crisissen'. Maar ook in een ander opzicht zijn er parallellen tussen politiek en betaald voetbal. Denk bijvoorbeeld aan de bonnetjesaffaires in het Britse Lagerhuis, waarbij de geloofwaardigheid van het hele politieke instituut in diskrediet werd gebracht door parlementariërs die zich met belastinggeld verrijkten, door zich helemaal suf te declareren, van luiers tot hondenvoer – het Labour-lid Nick Brown spande de kroon met een opgave van zo'n 18.000 pond, in vier jaar tijd, voor eten. Zelfverrijking is een glijdende schaal die begint bij de vraag waar ik individueel recht op heb. Wie het leven speelt vraagt zich daarentegen af wat de geest van het spel is. Net als de bankensector moest ook het Britse Lagerhuis onder toezicht worden gesteld van een onafhankelijke controlerende instantie. Een enorme ommezwaai in de Britse eeuwenlange parlementaire traditie. Het spelelement van het Lagerhuis had met de Gentlemen's-cultuur juist het algemeen belang in de gaten gehouden. Vanaf dan moet er volgens de toenmalige premier Gordon Brown een overgang plaatsvinden 'van zelfregulatie naar een onafhankelijke, externe regulering (...) *Westminster cannot operate like some Gentlemen's club*'. Het spelelement van de politieke gemeenschap (*polis*), die volgens Aristoteles uiteindelijk wordt gevormd door de gezamenlijke huishoudens (*oikoi*) wordt net als de sportwereld bedreigd door 'deskundigheid' (statistieken en rapporten), 'de media' (die omwille van kijkcijfers meer in schandalen zijn geïnteresseerd dan in wetgeving en bestuur) en dus door de centen.

Het Palazzo Pubblico, het monumentale stadhuis aan het Piazza del Campo in Siena, beschikt over twee metershoge fresco's van de laatmiddeleeuwse Sienese kunstschilder Ambrogio Lorenzetti: *Il buon e il mal Governo* (Het goede en het slechte bestuur).

Het goede bestuur toont een kleurrijke, ordelijke vestingstad in een heuvelachtig en ontgonnen landschap. Er wordt gewerkt, gehandeld, gejaagd, gebeden en, in het centrum van de stad, gedanst – een zogenaamde reidans, volgens Huizinga 'een der zuiverste en volkomenste vormen van spelen'.

Niets is aan zijn lot of de natuur overgelaten. Het doet denken aan wat Plessner de kunstmatige natuur van de mens noemt. Hij leeft niet als een dier dat als vanzelfsprekend samenvalt met zijn omgeving, maar als 'een excentrisch wezen', dat altijd 'als het ware, over zijn eigen schouder meekijkt'. Zo verkeert de mens onophoudelijk in het tussengebied van wat hij ervaart als de eigenlijke wereld en de oneigenlijke variant daarvan. Tussen het lot en de kans. Het gebied van het spel.

Waar, zoals Plessner al zei, 'elk ogenblik het gevaar van een ommekeer' bestaat. De symboliek verdwijnt: 'Het spel wordt ernst, het jagen, vangen en stoeien wordt strijd, het symbool wordt door de werkelijkheid verdrongen.'

Deze ommekeer zien we in het tweede fresco, dat van het slechte bestuur. De stad is grauw en vies, het land ligt er ongecultiveerd en vruchteloos bij, achter iedere struik een rover. Als we de natuur haar gang laten gaan, inclusief de menselijke natuur, dan blijven verlangens ongeleide projectielen.

De voorstelling van Lorenzetti doet me ook denken aan de 'levensstijl en ethische orde' die volgens Foucault de Griekse oikos uitmaakt. Een economie die als een zingevend spel de verlangens matigt in plaats van de inhoudsloze winst maximaliseert. Hoe zei Foucault het ook alweer: 'Als de eigenaar zich naar behoren met zijn landgoed bezighoudt, is zijn bestaan allereerst goed voor hemzelf.' Maar uit deze individuele huishouding volgt dan een een toevallige economische levenswijze die doet denken aan het harmonieuze tafereel van Lorenzetti. Want het harde werken binnen het eigen huishouden vormt 'een uithoudingsoefening, een fysieke training die goed is voor het lichaam, zijn gezondheid en kracht'. En deze 'sport' zorgt weer voor de mogelijkheid van het spel, want het bevordert 'de godsvrucht omdat het in staat stelt de goden kostbare offers te brengen; het moedigt vriendschapsbetrekkingen aan door de gelegenheid te geven zich vrijgevig te betonen, ruimschoots zijn gastvrijheidsplichten te vervullen en zijn liefdadigheid ten opzichte van de burgers te demonstreren. Bovendien is deze activiteit nuttig voor heel de polis, omdat ze bijdraagt aan haar rijkdom en haar vooral goede verdedigers oplevert: de aan zware werkzaamheden gewende grondeigenaar is een stoere soldaat en zijn bezittingen hechten aan de bodem van het vaderland, dat hij moedig zal verdedigen.'

In de documentaire *The Last Victory* (2004) van John Appel vertelt de jonge Paolo uit Siena over de wereldberoemde paardenrace, *il Palio*, die al meer dan drie eeuwen op dezelfde wijze wordt gehouden op alweer het Piazza del Campo in het hart van de stad – daar waaraan ook het stadhuis is gelegen en waar wij de spelersbus van A.C. Siena zagen staan tijdens onze huwelijksreis. De race tussen telkens tien van de in totaal zeventien stadswijken van Siena wordt iedere zomer twee keer verreden. In zijn documentaire volgt Appel de kleinste stadswijk Civetta, die dan 24 jaar geleden voor het laatst heeft gewonnen. En Paolo, de stalknecht, die met zijn 21 jaar dus te jong is om een overwinning te hebben meegemaakt, geeft zich jaar in jaar uit volledig over aan het spel van de paardenrace. Het evenement doet denken aan het carnaval bij ons, dat voor degene die dat feest serieus neemt niet zozeer een evenement is, maar een viering die het jaar structuur geeft zoals ook seizoenen dat kunnen. Voor jong en oud vormt de race een rode draad door het jaar en het sociale leven van Siena. En zeker vanaf honderd dagen voorafgaand aan de race, als de leider (*capitano*) van de stadswijk wordt gekozen, die op zoek gaat naar een geschikte jockey. De race zelf, drie rondjes om het plein, is binnen twee minuten voorbij, maar het leven in Siena draait er dagelijks om. De verkiezing van de capitano en de deelnemende stadswijken, de loting voor het paard, het oefenen van het vaandeldragen en bij winst het feest dat net zoveel dagen duurt als het aantal overwinningen ooit behaald. Alle onderdelen van het spel komen terug in de race, het feestelijke, het toeval, de uitgelatenheid, de rivaliteit en de dubbelzinnigheid van het spel. Op de vraag van Appel aan Paolo of het pijn doet dat hij hun aartsrivaal Leocorno al zes keer heeft zien winnen en Civetta in zijn leven nog nooit een zegen behaalde, antwoordt Paolo glimlachend: 'Nee. Ik ga er kapót aan. Zowel mentaal als fysiek.'

Het is een prachtige paradox, de overgave van de jongeren van Civetta die zich jaar in jaar uit inzetten voor deze traditie, zonder ooit het beoogde resultaat te hebben gezien. De toewijding is normaal, terwijl het verliezen feitelijk ook de norm is. Het voortdurende verlies van Paolo en zijn wijkgenoten maakt het spel niet zinloos, maar zorgt zelfs voor een sterkere onderlinge binding in de gemeenschap. Onbenulliger kan het haast niet, drie rondjes rennen op een plein, maar het resultaat is een heuse gemeenschap waar generaties zich thuis voelen en waar alle willekeurigheid van het leven lijkt verdwenen.

Il Palio is emotie, maar niet zoals Schippers en Koeman voetbal emotie vinden. Hier wordt gespeeld met de ernst van het kind dat zich een ongeluk kan schrikken 'door het gebrul van wat hij weet, dat geen "echte leeuw" is'. Het willen winnen is nodig om het spel te kunnen spelen, maar de winst van het spel is het spel zelf, en niet de knikkers.

Bronnen

Literatuur

Arendt, Hannah, *Vita Activa. De mens: bestaan en bestemming*, vert. C. Houwaard, Boom, Amsterdam, 2004

Aristoteles, *Politica*, vertaling Jan Maarten Bremer en Ton Kessels, Historische Uitgeverij, Groningen, 2012

Baumeister, Roy F. & John Tierney, *Wilskracht*, vert. Brenda Mudde, Uitgeverij Nieuwezijds, Amsterdam, 2012

Bijbel, *Genesis*, De Nieuwe Bijbelvertaling, Uitgeverij NBG, Heerenveen, 2005

Boli, John, 'The economic absorption of the sacred', uit: Wuthnow, Robert (red.) *Rethinking Materialism: Perspectives on the Spiritual Dimension of Economic Behavior*, Wm. B. Eerdmans Publishing, Michigan, 1995

Carveth, Rod & James B. South (red.), *Mad Men and Philosophy – Nothing is as it seems*, John Wiley & Sons, Hoboken (New Jersey), 2010

Defoort, Jos, *Het grote geld. Keerpunten in de monetaire geschiedenis*, Uitgeverij Van Halewijck, Leuven, 2000

Dostojevski, Fjodor, *De speler*, vert. Nico Scheepmaker, uitgeverij L.J. Veen, Amsterdam, 2001

Foucault, Michel, *Het gebruik van de lust* – het tweede deel van *De geschiedenis van de seksualiteit* –, vert. Peter Klinkenberg, SUN, Nijmegen, 1984

Han, Byung-Chul, *De vermoeide samenleving*, vert. Frank Schuitemaker, Van Gennep, Amsterdam, 2012

Heidegger, Martin, *Sein und Zeit*, Max Niemeijer Verlag, Tübingen, 1993

Huizinga, Johan, *Homo ludens*, Tjeenk Willink bv, Groningen, 1974

Kesel, Marc De, *Niets dan liefde. Het vileine wonder van de gift*, Sjibbolet, Amsterdam, 2012

KNVB Expertise, *Het seizoen in cijfers*, Zeist, 2012

Laermans, Rudi, '*Philosophie des Geldes* van Georg Simmel. De moderne mens in de greep van het geldwezen' uit: *Ex Libris van de filosofie van de 20ste* eeuw (1), Koen Boey e.a. (red.), Uitgeverij Acco, Leuven, 1997

Lijster, Thijs, 'Art and Property', *Krisis, Journal for contemporary philosophy*, 2011, nr. 3

Marx, Karl, *Het Kapitaal*, vert. Isaac Lipschits (herziening Hans Driessen), Boom, Amsterdam, 2010

Middelaar, Luuk van, *De passage naar Europa*, Historische Uitgeverij, Groningen, 2009

Plessner, Helmuth, *Lachen en wenen, onderzoek naar de grenzen van het menselijk gedrag*, Prisma, Utrecht/Antwerpen, 1965

Rochefoucauld, François de La, *Maximen. Bespiegelingen over menselijk gedrag*, vert. Maarten van Buuren, Historische Uitgeverij, Groningen, 2008

Rutte, Mark, *Bruggen slaan*, Regeerakkoord VVD-PvdA, 29 oktober 2012

Sandel, Michael J., *Niet alles is te koop, De morele grenzen van marktwerking*, vert. Karl van Klaveren en Dick Lagrand met medewerking van Marjolijn Stoltenkamp, Uitgeverij Ten Have, Utrecht, 2012

Sartre, Jean-Paul, *Het zijn en het niet*, vert. Frans de Haan, Lemniscaat, Rotterdam, 2010

Schopenhauer, Arthur, *De wereld als wil en voorstelling (1&2)*, Wereldbibliotheek, Amsterdam, 1997

Schmid, Wilhem, *Filosofie van de levenskunst*, Ambo, Amtserdam, 2001

Schwartz, Barry, *The Paradox of Choice. Why more is less*, HarperCollins Publishers, New York, 2004

Sedláček, Tomáš, *De economie van goed en kwaad, de zoektocht naar economische zingeving van Gilgamesj tot Wall Street*, vert. Raymond Gijsen, Scriptum, Schiedam, 2012

Siemerink-Hermans, H.J.E., 'De "railway spine": vermeend ruggenmergletsel door spoorwegschokken als basis voor schadeclaims in het negentiende-eeuwse Groot-Brittannië', *Nederlands Tijdschrift voor Geneeskunde*, Amsterdam, week 15, 1998

Simmel, Georg, 'Philosophie der Mode', *Gesamtausgabe 10*, Suhrkamp, Frankfurt am Main, 1995 (vertaling CS)

Tarkovski, Andrej, *De verzegelde tijd. Beschouwingen over de filmkunst*, vert. Arjen Uijterlinde, Historische Uitgeverij, Groningen, 2006

Wijnants, Nienke, *Het dertigersdilemma*, Bert Bakker, Amsterdam, 2008

Film, Televisie, Radio

Appel, John, *The Last Victory*, Cobos films, 2003

Greenfield, Lauren, *The Queen of Versailles*, Victor Livingston, 2012

Weiner, Matthew, *Mad Men*, Lionsgate Television, 2007

Pauw & Witteman, VARA, 3 december 2012

Pauw & Witteman, VARA, 7 december 2012

Radio 1, 'Politieke crisis in Groot-Brittannië', NOS, 20 mei 2009

Radio 1, 'Digitale munteenheid de toekomst?', NOS, 15 juli 2011

Radio 1, Een betere wereld zonder contant geld, VPRO, 11 november 2012

Radio 1, *Radio 1 journaal*, 15 juli 2011

Nieuwsuur, NTR, 4 december 2012

Geschreven pers

Halsema, Femke, 'Mad Men Mystique', *de Volkskrant*, 22 juni 2011

Wester, Jeroen, 'De Jager draait niet, zegt De Jager', *NRC Handelsblad*, 8 juli 2011

'Fit Oranje', Nos.nl, 19 december 2012

Stellinga, Marike, 'Ja, lach die economen maar uit', *NRC Handelsblad*, 13 oktober 2012